Competência Social
e Habilidades Sociais

Dados Internacionais de Catalogação na Publicação (CIP)
(Câmara Brasileira do Livro, SP, Brasil)

Del Prette, Almir
  Competência Social e Habilidades Sociais ; manual teórico-prático / Almir Del Prette, Zilda A.P. Del Prette, Petrópolis, RJ : Editora Vozes, 2017.
  Bibliografia.

  9ª reimpressão, 2023.

  ISBN 978-85-326-5527-1
  1. Habilidades Sociais, Competência Social, assertividade, Práticas Culturais Problemas Interpessoais 2. Competência Social 3. Comunicação não verbal 4. Relações humanas 5. Psicoterapia 6. Terapia comportamental 7. Atendimento individual 8. Atendimento em grupo I. Del Prette, Zilda II. Título.

17-05771   CDD-302.14

Índices para catálogo sistemático:
1. Habilidades Sociais : Psicologia social   302.14

Almir Del Prette
Zilda A.P. Del Prette

Competência Social e Habilidades Sociais

Manual teórico-prático

Petrópolis

© 2017, Editora Vozes Ltda.
Rua Frei Luís, 100
25689-900 Petrópolis, RJ
www.vozes.com.br
Brasil

Todos os direitos reservados. Nenhuma parte desta obra poderá ser reproduzida ou transmitida por qualquer forma e/ou quaisquer meios (eletrônico ou mecânico, incluindo fotocópia e gravação) ou arquivada em qualquer sistema ou banco de dados sem permissão escrita da editora.

CONSELHO EDITORIAL

Diretor
Volney J. Berkenbrock

Editores
Aline dos Santos Carneiro
Edrian Josué Pasini
Marilac Loraine Oleniki
Welder Lancieri Marchini

Conselheiros
Elói Dionísio Piva
Francisco Morás
Gilberto Gonçalves Garcia
Ludovico Garmus
Teobaldo Heidemann

Secretário executivo
Leonardo A.R.T. dos Santos

Editoração: Eliana Moura Carvalho Mattos
Diagramação: Sheilandre Desenv. Gráfico
Revisão gráfica: Nilton Braz da Rocha / Nivaldo S. Menezes
Ilustrações de miolo (parte) e capa: Izis Cavalcanti Albuquerque de Souza
Capa: Editora Vozes

ISBN 978-85-326-5527-1

Este livro foi composto e impresso pela Editora Vozes Ltda.

Agradecimentos

Este manual é resultado de muitos anos de estudo e pesquisa. Aproveitamos o ensejo para mencionar nosso reconhecimento, ao longo do tempo, da valiosa colaboração de colegas e alunos, tanto da pós-graduação quanto da graduação, e não apenas da Psicologia, mas também da Psicopedagogia, Educação e de outras áreas.

Agradecemos a contribuição efetiva de colegas especialistas do campo das Habilidades Sociais que, atendendo a nosso pedido, sugeriram vários conteúdos próprios de um manual para um país ainda carente desse tipo de publicação. As sugestões desses colegas foram importantes para que o resultado final abrangesse, se não todos, pelo menos os principais conteúdos esperados de um manual. Portanto, nossos agradecimentos a: Ana Carolina Braz, Daniele Carolina Lopes, Camila Negreiros Comodo, Camila Pereira-Guizzo, Carolina Severino Lopes, Elizabeth Joan Barham, Sheila Giardini Murta, Talita Pereira Dias. De maneira especial, estendemos nossos agradecimentos à leitura e apontamentos do capítulo 9 feitos pelas colegas Camila Negreiros Comodo, Shirley Simeão e Talita Pereira Dias.

Como em outros livros, registramos também que este produto faz parte de nossos compromissos com o Conselho Nacional de Pesquisa (CNPq), que nos apoia com bolsas de produtividade. Aproveitamos para mencionar nossa vinculação à Universidade Federal de São Carlos (UFSCar), como professores seniores, junto aos Programas de Pós-Graduação de

Psicologia (Zilda e Almir) e de Pós-Graduação em Educação Especial (Almir), e também ao Instituto Nacional de Ciência e Tecnologia – Estudos sobre Comportamento, Cognição e Ensino (INCI-ECCE).

Antecipadamente somos gratos aos leitores que queiram nos enviar comentários sobre o livro, pelo que disponibilizamos nossos e-mails: adprette@ufscar.br e zdprette@ufscar.br Em nosso website http://www.rihs.ufscar.br o leitor encontrará artigos sobre o tema aqui abordado, disponíveis para download, bem como a relação de nossos livros, com sumários e resenhas.

Almir e Zilda

Apresentação

As Habilidades Sociais, requeridas para interações bem-sucedidas, vêm sendo consideradas como fator protetivo de desenvolvimento, saúde e bem-estar; no lado oposto, os problemas interpessoais são reconhecidos como fatores de risco para isso. As evidências sobre essas relações parecem estar na base do interesse na temática das relações interpessoais.

Coincidindo com esse interesse, observa-se, nas duas últimas décadas, um movimento crescente do campo teórico, prático e de pesquisa sobre Habilidades Sociais em nosso país. Teórico, porque qualquer disciplina científica requer teorias que expliquem o funcionamento humano no âmbito dos temas que privilegia. Prático e de pesquisa, porque a aplicação dos conhecimentos disponíveis está respaldada pelos avanços da investigação científica.

Este manual é parte desse movimento e fruto de conhecimentos acumulados nos últimos anos sobre Habilidades Sociais e Competência Social. Ele se divide em três partes, sequencialmente organizadas para: (I) atender à fundamentação teórica que orienta e justifica as decisões das intervenções nessa área; (II) prover informações sobre procedimentos, técnicas e recursos de intervenção sob a lógica dos requisitos da Competência Social; (III) apresentar orientações práticas para o planejamento e a condução de programas de promoção de Habilidades Sociais e Competência Social, em formato grupal e em formato individual.

Na Parte I, capítulo 1, após breve exposição do campo das Habilidades Sociais, contextualizando os conceitos de Habilidades Sociais e Competência Social, focaliza-se a definição de Habilidades Sociais e suas principais classes e subclasses, bem como seus componentes não verbais e paralinguísticos. Segue com a proposta de um portfólio de Habilidades Sociais (incluindo esses componentes) visando a organização dos deficits e recursos como base para a definição de objetivos de intervenção que atendam às necessidades do cliente.

No capítulo 2, o foco é a análise renovada do conceito de Competência Social, entendido como estrategicamente central em relação aos demais. São definidos critérios para a avaliação da Competência Social, destacando-se as dimensões instrumental e ética desse constructo e suas implicações para as relações interpessoais. Nesse sentido, propõe-se um modelo de Competência Social que inclui quatro componentes: (1) variabilidade em Habilidades Sociais; (2) automonitoria e análise de contingências; (3) conhecimento e autoconhecimento; (4) ética e valores de convivência. As funções e as relações desses quatro componentes entre si são analisadas com vários exemplos visando sua aplicação.

O capítulo 3 aborda noções de tarefa interpessoal, papéis sociais e práticas culturais enquanto contextos pertinentes à compreensão das Habilidades Sociais, da Competência Social e também dos deficits e recursos do cliente para lidar com demandas interpessoais. Essa discussão busca, principalmente, evidenciar a possível contribuição da Competência Social no delineamento de novas práticas culturais em diferentes setores da convivência humana.

O capítulo 4 apresenta a racional para programas de Treinamento de Habilidades Sociais (THS) a partir dos correlatos positivos e dos problemas associados a deficits em Habilidades Sociais e demais requisitos da Competência Social. Com base nessas considerações, é feita breve exposição sobre programas preventivos, terapêuticos e profissionais, bem como sobre possibilidades de intervenções, em formato grupal e individual. Na finalização desse capítulo, apresenta-se a racional do Método Vivencial, com a definição de vivência e sua utilização para a promoção de Habilidades Sociais e Competência Social.

A Parte II apresenta orientações para a promoção da Competência Social e seus requisitos. O capítulo 5 focaliza a avaliação (inicial, de processo, continuada e final), com destaque para a importância de avaliar a generalização e a manutenção (*follow-up*) dos resultados obtidos. Nessa perspectiva, são brevemente apresentados os instrumentos e procedimentos de avaliação usualmente utilizados em nosso país. No capítulo 6 são apresentadas orientações práticas para o uso de vivências e demais procedimentos, técnicas e recursos envolvidos na promoção da Competência Social. O capítulo 7 aborda, um a um, os requisitos da Competência Social, orientando sobre como promovê-los, usando as condições de intervenção descritas no capítulo anterior.

A Parte III trata do planejamento e condução de programas de promoção da Competência Social e de seus requisitos, nos formatos grupal e individual. Para isso, após considerar aspectos estruturais e formais de um programa, destacam-se os cuidados e diretrizes para a definição dos objetivos relevantes de intervenção com os clientes, a distribuição desses objetivos ao longo de sessões e o planejamento de cada sessão.

Com base nas análises e informações anteriores, o capítulo 9 apresenta um plano de atendimento por meio de programa de THS. Esse plano é organizado em fichas, com sugestão de diferentes atividades, como, por exemplo, tarefas de casa, vivências de abertura das sessões, esquemas de encaminhamento para as três fases de cada sessão (inicial, intermediária e final) e diferentes procedimentos. O leitor também irá constatar que são contemplados os formatos grupal e individual de atendimento, cada um deles exemplificado com o relato de caso atendido.

O capítulo 10 contempla um conjunto de 29 atividades (vivências e exercícios práticos) testadas para programas de THS e referidas nas fichas de sessões apresentadas no capítulo anterior. Cada uma é descrita em detalhe, considerando: (a) objetivos; (b) materiais; (c) procedimento; (d) observações; (e) variações. São vivências e atividades novas em relação a outras já publicadas pelos autores.

Almir e Zilda

Sumário

PARTE I – BASE CONCEITUAL, 17

1. HABILIDADES SOCIAIS, 19

Habilidades Sociais enquanto campo teórico-prático, 19

Habilidades Sociais enquanto conceito, 21

Definição de Habilidades Sociais, 24

Classes e subclasses de Habilidades Sociais, 25

    Portfólio Geral de Habilidades Sociais, 27

    Habilidades Sociais básicas, 31

Habilidades Sociais: topografia e funcionalidade, 31

Sobre a aprendizagem de Habilidades Sociais, 34

2. COMPETÊNCIA SOCIAL, 37

Definição de Competência Social, 37

    Competência Social: comportamentos encobertos e manifestos, 38

    Critérios de avaliação da Competência Social, 40

    Dimensão ética e critério básico de Competência Social, 43

    Competência Social e reciprocidade nas trocas, 46

Requisitos da Competência Social, 48

    Habilidades Sociais e variabilidade comportamental, 50

    Automonitoria, 53

    Conhecimento e autoconhecimento, 59

    Ética e valores de convivência, 62

3. TAREFAS INTERPESSOAIS E PRÁTICAS CULTURAIS, 67

O conceito de tarefa interpessoal, 67

Habilidades Sociais e papéis sociais, 69

Deficits de Habilidades Sociais, 72

Competência Social e práticas culturais, 73

4. PROGRAMAS E MÉTODO VIVENCIAL, 77

Correlatos positivos do bom repertório de Habilidades Sociais, 78

Problemas associados a deficits em Habilidades Sociais, 79

Programas de Treinamento de Habilidades Sociais (THS), 80

Aplicações e clientelas de programas de THS, 81

Programas de Habilidades Sociais no atendimento individual, 84

Sobre o Método Vivencial, 85

O que é vivência?, 87

Vivências análogas e simbólicas, 88

PARTE II – ORIENTAÇÕES PARA A PRÁTICA, 93

5. SOBRE A AVALIAÇÃO, 95

Avaliação inicial: por que e o que avaliar, 95

Como avaliar, 97

Avaliação de processo, 100

Avaliação continuada, 101

Avaliação final, 102

Sobre as devolutivas, 103

Avaliação de acompanhamento (*follow-up*), 103

A avaliação da generalização, 103

6. SOBRE TÉCNICAS, PROCEDIMENTOS E RECURSOS ASSOCIADOS A VIVÊNCIAS, 105

Principais técnicas e procedimentos, 106

Detalhando algumas técnicas e procedimentos, 109

Sobre as Tarefas Interpessoais de Casa, 109

Sobre o uso de recursos multimídia, 112

Sobre as atividades instrucionais, 113

7. COMO PROMOVER OS REQUISITOS DA COMPETÊNCIA SOCIAL, 115

Variabilidade de Habilidades Sociais, 115

Automonitoria e análise de contingências, 116

Conhecimento do ambiente social, 118

Valores de convivência, 120

Autoconhecimento, 121

PARTE III – PLANEJAMENTO E CONDUÇÃO DA PRÁTICA, 123

8. PLANEJANDO UM PROGRAMA DE HABILIDADES SOCIAIS ORIENTADO PARA A COMPETÊNCIA SOCIAL, 125

Estrutura dos programas vivenciais de THS, 126

Número de participantes e suas características, 126

Ambiente físico, 128

Contrato inicial, 128

Duração do programa e sessões, 129

Participação de coterapeuta, 129

Definição dos objetivos do programa, 130

Distribuição dos objetivos em sessões do programa, 132

Planejamento de cada sessão, 135

A questão da generalização, 137

Do planejamento à condução, 137

9. CONDUZINDO PROGRAMAS DE HABILIDADES SOCIAIS ORIENTADOS PARA A COMPETÊNCIA SOCIAL, 139

Conduzindo vivências, 139

Conduzindo Tarefa Interpessoal de Casa (TIC), 142

Organizando e conduzindo as sessões grupais do programa, 143

Sessões iniciais, 145

Sessões intermediárias, 153

Sessões finais, 156

Caso ilustrativo de THS em formato grupal, 158

Organizando e conduzindo THS no atendimento individual, 161

Como usar vivências no atendimento individual, 162

Uso de outras técnicas, procedimentos e recursos, 163

Caso ilustrativo de THS em formato individual, 165

Análise final do terapeuta, 167

10. VIVÊNCIAS E OUTRAS ATIVIDADES PARA PROGRAMAS DE HABILIDADES SOCIAIS, 169

Vivências de início e término de sessão, 170

1. Crachás extensos, 170

2. Elogio é bom e eu gosto, 170

3. Observando, 171

4. Dançando conforme a música, 171

5. Contato visual, 172

6. Grupo afetivo, 172

7. No papel do outro, 173

8. O bem é bom, 173

9. Olhando onde pisa, 173

10. Expressando afeto, 174

Vivências para a fase central da sessão, 174

11. Automonitorando, 174

12. Autoavaliação, 175

13. Autoconhecimento, 177

14. Lidando com preocupação e estresse, 179

15. O jogo do silêncio, 183

16. Praticando o *feedback*, 185

17. Fazer amizade, 190

18. Falando sem falar, 193

19. O que meu colega contou, 195

20. Direitos e deveres, 197

21. Resolvendo problemas interpessoais, 201

22. Nunca igual, 207

23. Valores nas interações sociais, 209

24. A história de Joana, 212

25. Vamos conhecer Pedrinho, 220

26. O que podemos aprender com os gansos?, 228

27. Tá frio, tá quente, 231

Exemplos de exercícios de análise e prática, 234

28. Optando pela empatia, 234

29. Praticando respostas assertivas, 238

REFERÊNCIAS, 243

PARTE I
BASE CONCEITUAL

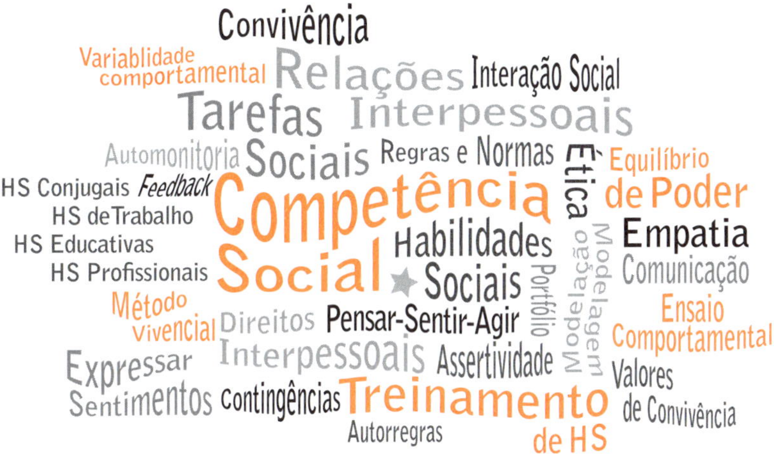

1.

HABILIDADES SOCIAIS

Humanos e primatas são geneticamente dotados com habilidades para criar certos modos de estrutura social no qual interagem.

Peter Trower

A expressão Habilidades Sociais (HS) tem sido utilizada com dois significados. O primeiro, mais amplo, denomina um campo teórico-prático de produção e aplicação de conhecimento psicológico. O segundo, mais restrito, refere-se a um dos conceitos-chave dentro desse campo. Neste capítulo, o termo HS será abordado enquanto campo teórico-prático e, na sequência, como conceito, em sua articulação com o de Competência Social, defendido como central em relação aos demais. O restante do capítulo detalha a definição, as classes e subclasses de Habilidades Sociais, além dos aspectos "topografia" ou "forma do desempenho" (componentes não verbais e paralinguísticos) e sua importância para a funcionalidade das Habilidades Sociais. É apresentado um Portfólio de Habilidades Sociais como base para a análise do repertório do cliente e encaminhamento de programas de intervenção.

Habilidades Sociais enquanto campo teórico-prático

O campo das Habilidades Sociais vem se consolidando desde meados do século passado, reunindo conhecimentos resultantes de diferentes aportes teóricos da Psicologia. Nas suas origens, destacam-se os conhecimentos produzidos sob as abordagens cognitiva, comportamental e sociocognitiva (Z. Del Prette & Del Prette, 1999). No Brasil, a produção de conhecimento sobre Habilidades Sociais se amparou, desde os primeiros estudos, principalmente nas abordagens da Análise do Comportamento e Cognitivo-Comportamental, com importantes contribuições conceituais, empíricas e práticas. Essas contribuições aparecem alocadas em diferentes eixos de produção de conhecimento, conforme ilustrado na Figura 1.1.

Figura 1.1. Eixos de produção de conhecimento sobre Habilidades Sociais e Competência Social.

Com base em estudos de revisão da produção brasileira da área, em diferentes períodos (Bolsoni & cols., 2006; Freitas,

2013; Fumo, Manolio, Bello, & Hayashi, 2009; Murta, 2005; Mitsi, Silveira, & Costa, 2004; Teixeira, Del Prette & Del Prette, 2013; Z. Del Prette & Del Prette, 2016), pode-se afirmar que a produção em Habilidades Sociais, em cada um desses eixos, vem se ampliando de maneira expressiva, especialmente nos últimos anos. Historicamente, os ensaios teóricos se apoiaram em pesquisas sobre interações sociais, comportamento social, relações interpessoais e, posteriormente, comunicação não verbal (cf. Argyle, 1967/1994). Na atualidade, pode-se dizer que os estudos teóricos precedem e seguem as pesquisas empíricas, focalizando questões relevantes para o desenvolvimento do campo sob diferentes perspectivas conceituais.

Habilidades Sociais enquanto conceito

Enquanto conceito, é importante destacar a controvérsia histórica na compreensão sobre a relação entre Habilidades Sociais e Competência Social. Ora esses termos são entendidos como conceitualmente equivalentes, ora como irredutíveis um ao outro, e algumas vezes como complementares.

A diferenciação entre Habilidades Sociais e Competência Social teve como base os estudos de McFall (1976; 1982), que argumentou favoravelmente à distinção entre ambos, inclusive em suas implicações práticas. Ainda que essa distinção não seja consenso na área, ela é adotada por grande parte dos pesquisadores e teóricos, como, por exemplo, O'Donohue e Krasner (1995), Trower (1995), Gresham (2009), entre outros.

Desde os estudos preliminares no Brasil (cf. Z. Del Prette & Del Prette, 1996; 1999), optou-se por reconhecer e explicitar as diferenças conceituais entre esses termos, tal como no presente manual. Nesse sentido, propõe-se a centralidade do conceito de Competência Social em relação aos demais conceitos da área. Espera-se que a importância dessa decisão, tanto para a compreensão e aplicação dos conceitos como para o planejamento e condução dos programas de Treinamento de Habilidades Sociais, se torne mais compreensível ao longo deste manual.

O esquema que segue mostra relações entre esses dois conceitos e as classes de comportamentos sociais desejáveis e indesejáveis na convivência social.

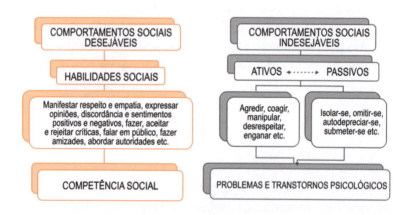

Figura 1.2. Esquema geral de classes de comportamentos sociais pertinentes e não pertinentes aos conceitos de Habilidades Sociais e Competência Social (A. Del Prette & Del Prette, 2001; Z. Del Prette & Del Prette, 1999; 2005a).

Conforme organizados na Figura 1.2, grosso modo, os comportamentos sociais podem ser divididos em dois conjuntos, os desejáveis e os indesejáveis. Comportamentos sociais desejáveis, na maioria das culturas e subculturas, são aqueles orientados por valores de respeito mútuo entre os indivíduos em interação; os indesejáveis são os que contrariam esses valores compartilhados na cultura. O critério para a desejabilidade ou indesejabilidade recai sobre as consequências dos comportamentos, em termos dos benefícios e malefícios que eles produzem para o interlocutor, o grupo e a comunidade, bem como, em muitos casos, a sua aceitação pela cultura.

Assim, na coluna da esquerda, os comportamentos sociais desejáveis caracterizam classes e subclasses de Habilidades Sociais que podem contribuir para um desempenho socialmente competente. A coluna da direita representa os comportamentos sociais indesejáveis, com seus dois subconjuntos: os ativos ("antissociais") e os passivos ("associais"), associados, respectivamente, a comportamentos problemáticos externalizantes e internalizantes, geralmente relacionados a transtornos psicológicos que podem requerer atendimento clínico e/ou encaminhamento a setores jurídicos e de atenção psicossocial.

Os comportamentos sociais indesejáveis do tipo ativo frequentemente geram resultados satisfatórios imediatos para o indivíduo, mas em detrimento de resultados para o interlocutor, o grupo e a comunidade. Podem também produzir represálias e interrupção de amizades, além de suspenção escolar, medidas socioeducativas, perda de direitos civis etc. Os do tipo passivo podem evitar de imediato consequências negativas para o indivíduo, mas não em médio e longo prazo, além de pouco contribuir para o interlocutor e o grupo.

É importante, ainda, lembrar que os padrões passivo e ativo não são fixos, mas ocorrem em um contínuo, conforme a ilustração anterior, proposta por Del Prette e Del Prette (2003a) em relação ao padrão assertivo:

É importante destacar que tanto os comportamentos desejáveis como os indesejáveis se mantêm porque geram consequências positivas ou evitam consequências negativas para o indivíduo. É nesse sentido que são considerados comportamentos concorrentes aos desejáveis, pois resultam em consequências que são obtidas com comportamentos indesejáveis,

> Exigir algo de modo agressivo e ser bem-sucedido compete com fazer um pedido de forma adequada. A consequência positiva ao comportamento agressivo torna-o mais provável de ocorrer novamente.

em lugar de serem obtidas com os desejáveis. Dessa forma, enquanto os indesejáveis são fortalecidos, reduz-se a probabilidade de aprendizagem e ocorrência dos desejáveis. Não obstante esse esquema simplificado, não se ignora a complexidade dos determinantes de comportamentos problemáticos e outros transtornos psicológicos, mas apenas se destaca o papel das consequências, que podem ser alvo de intervenções educativas e terapêuticas.

Definição de Habilidades Sociais

O conceito de Habilidades Sociais é razoavelmente intuitivo e, talvez por isso mesmo, é necessária uma definição operacional para evitar equívocos e orientar a pesquisa e a prática. O que são Habilidades Sociais, quais os diferentes tipos ou classes de Habilidades Sociais e como diferenciá-las? Qual a importância do contexto no desempenho de Habilidades Sociais? Essas e outras questões fazem parte de uma compreensão necessária desse constructo.

Enquanto conceito, o termo Habilidades Sociais aplica-se a um conjunto de comportamentos sociais que apresentam características específicas. Uma definição adequada desse conceito deve incluir pelo menos três caraterísticas interdependentes.

> **Habilidades Sociais** refere-se a um construto *descritivo* ❶ dos comportamentos sociais valorizados em determinada cultura ❷ com alta probabilidade de resultados favoráveis para o indivíduo, seu grupo e comunidade ❸ que podem contribuir para um desempenho socialmente competente em tarefas interpessoais.

Essa definição permite identificar os comportamentos denominados de Habilidades Sociais e diferenciá-los dos indesejáveis, ativos e passivos, associados a transtornos e problemas externalizantes e internalizantes, respectivamente (Z. Del Prette & Del Prette, 2005a). Os comportamentos categorizados como Habilidades Sociais podem contribuir para a Competência Social no sentido de produzir os resultados pretendidos na interação social (por exemplo, pedir algo e ser atendido, expressar discordância e ser respeitado no direito de opinar, fazer uma pergunta e obter resposta etc.). É importante destacar que as Habilidades Sociais podem contribuir, mas não resultam necessariamente em Competência Social, porque, além do desempenho de Habilidades Sociais, esta inclui outros critérios, como se verá adiante.

Por definição, o conceito de Habilidades Sociais nomeia uma classe geral de comportamentos sociais e suas subclasses. Nesse sentido, os adjetivos "habilidoso" e "não habilidoso" são evitados para não se confundirem com o conceito de Competência Social (próximo capítulo).

Classes e subclasses de Habilidades Sociais

Os comportamentos caracterizados como Habilidades Sociais aparecem na literatura da área agrupados em conjuntos denominados classes e subclasses. O que significa classificar comportamentos? Significa agrupá-los com base em alguma característica que compartilham e que os diferencia das características de outros agrupamentos. No caso de comportamentos sociais, pode-se classificá-los tanto pela topografia (aspectos formais do comportamento, como gestos, tom de voz, expressão facial e corporal etc.) como pela funcionalidade, ou seja, sua função efetiva em dada situação, considerando a tríplice relação de contingências (antecedente – comportamento – consequência).

A diversidade de classes funcionais de Habilidades Sociais, ou seja, de comportamentos sociais que possuem uma mesma função, pode ser exemplificada com as classes de "empatia" e "assertividade". A classe "empatia" reúne comportamentos sociais esperados e desejáveis em relação ao interlocutor, especialmente quando este se encontra em dificuldade. Neste caso, os objetivos são de apoiá-lo, demonstrar compreensão, validar seus sentimentos etc. Por outro lado, a classe "assertividade" reúne comportamentos sociais esperados em situações de desequilíbrio nas trocas interpessoais, desrespeito ou ameaça de perda de direitos, com a função de restabelecer a condição anterior ou melhorar a condição atual, caracterizando-se como enfrentamento, já que envolve risco de reação indesejável do outro (A. Del Prette & Del Prette, 2001). Essa função é compartilhada pelas subclasses de Habilidades Sociais assertivas, tais como argumentar, discordar, questionar, recusar etc.

> Qualquer habilidade pode ser tomada como uma classe mais ampla quando o propósito é examinar seus componentes, até o ponto em que as subdivisões não constituam unidades identificáveis de Habilidades Sociais.

Dentro de uma classe, os comportamentos apresentam função semelhante, mas podem apresentar topografia diferente. Por exemplo, a classe "civilidade" inclui comportamentos de cumprimentar, agradecer, despedir-se etc; todos com a função geral semelhante na cultura, porém diferenciados quanto à topografia. Comportamentos agrupados na classe "civilidade", possuem a função de "ajustar-se às normas de polidez". Tomando o comportamento de cumprimentar, verifica-se que este apresenta rica variabilidade na topografia. Alguém pode acenar a outro, abraçá-lo ou trocar aperto de mãos. Todas essas variações não impedem que sejam categorizados como cumprimento, ou seja, compartilham a mesma função. A escolha por uma forma de desempenho (topografia) depende da subcultura à qual pertencem os envolvidos na tarefa interpessoal.

Por outro lado, pode haver compartilhamento de subclasses entre as diferentes classes. Por exemplo: fazer/responder perguntas e expressar sentimentos fazem parte tanto da classe de assertividade como de empatia, porém com diferenças na topografia que caracteriza cada uma delas. Considere "fazer/responder pergunta" diante de demanda de assertividade e diante de demanda empática. A diferença se verifica no volume, velocidade e modulação da voz, nas expressões faciais, gestualidade e diferentes características do contato visual.

Ainda há muito para pesquisar sobre categorização e classificação das Habilidades Sociais, tanto em termos conceituais como empíricos. Apenas para exemplificar, A. Del Prette e Del Prette (2009) fazem uma análise conceitual de possíveis correspondências entre as classes de Habilidades Sociais, definidas no campo do THS, e as classes de operantes verbais identificados por Skinner (1957/1978), considerando que se referem a duas taxonomias de comportamentos sociais.

Portfólio Geral de Habilidades Sociais

Além da elaboração conceitual, a organização das Habilidades Sociais em classes e subclasses pode ser também refinada por avaliações empíricas. Por isso, as propostas de taxonomia não podem ser vistas como estruturas definitivas nem constituem propostas consensualmente estabelecidas na literatura da área. Ainda assim, dispor de um bom esquema de classificação pode facilitar a identificação dos deficits e recursos do cliente, além de orientar a avaliação e a promoção das Habilidades Sociais relevantes de diferentes clientelas. A organização dessas classes (tanto as que constituem recursos quanto as deficitárias) pode ser denominada de Portfólio de Habilidades Sociais.

> Portfólio de Habilidades Sociais consiste em uma listagem de classes e subclasses de Habilidades Sociais relevantes e pertinentes às tarefas e papéis sociais bem como à etapa de desenvolvimento do cliente, incluindo também os componentes não verbais e paralinguísticos (CNVP).

Considerando as principais Habilidades Sociais que vêm sendo objeto de pesquisa e prática em nosso meio, pode-se organizá-las sob diferentes eixos de análise (Del Prette & Del Prette, 2008). Ao longo das etapas de desenvolvimento, o indivíduo se defronta com demandas interpessoais para uma diversidade de classes e subclasses de Habilidades Sociais. O Quadro 2.1 contém as principais classes de Habilidades Sociais identificáveis na literatura, que podem ser relevantes para todas as etapas do desenvolvimento e para os papéis sociais assumidos ao longo delas.

QUADRO 2.1. PORTFÓLIO DE HABILIDADES SOCIAIS

1. **Comunicação**. Iniciar e manter conversação, fazer e responder perguntas, pedir e dar *feedback*, elogiar e agradecer elogio, dar opinião, a comunicação tanto ocorre na forma direta (face a face) como na indireta (uso de meios eletrônicos); na comunicação direta, a verbal está sempre associada à não verbal, que pode complementar, ilustrar, substituir e às vezes contrariar a verbal.

2. **Civilidade**. Cumprimentar e/ou responder a cumprimentos (ao entrar e ao sair de um ambiente), pedir "por favor", agradecer (dizer "obrigado/a"), desculpar-se e outras formas de polidez normativas na cultura, em sua diversidade e suas nuanças.

3. **Fazer e manter amizade**. Iniciar conversação, apresentar informações livres, ouvir/fazer confidências, demonstrar gentileza, manter contato, sem ser invasivo, expressar sentimentos, elogiar, dar *feedback*, responder a contato, enviar mensagem (e-mail, bilhete), convidar/aceitar convite para passeio, fazer contatos em datas festivas (aniversário, Natal etc.), manifestar solidariedade diante de problemas.

4. **Empatia**. Manter contato visual, aproximar-se do outro, escutar (evitando interromper), tomar perspectiva (colocar-se no lugar do outro), expressar compreensão, incentivar a confidência (quando for o caso), demonstrar disposição para ajudar (se for o caso), compartilhar alegria e realização do outro (nascimento do filho, aprovação no vestibular, obtenção de emprego etc.).

5. **Assertivas**. Por se tratar de uma classe ampla com muitas subclasses, são aqui destacadas entre as mais importantes:
- ✓ Defender direitos próprios e direitos de outrem
- ✓ Questionar, opinar, discordar, solicitar explicações sobre o porquê de certos comportamentos, manifestar opinião, concordar, discordar
- ✓ Fazer e recusar pedidos
- ✓ Expressar raiva, desagrado e pedir mudança de comportamento
- ✓ Desculpar-se e admitir falha
- ✓ Manejar críticas: (a) *aceitar críticas* (ouvir com atenção até o interlocutor encerrar a fala, fazer perguntas, pedir esclarecimento, olhar para o interlocutor, concordar com a crítica ou com parte dela, pedir desculpas); (b) *fazer críticas* (falar em tom de voz pausada e audível, manter contato visual sem ser intimidatório, dizer o motivo da conversa, expor a falha do interlocutor, pedir mudança de comportamento); (c) *rejeitar críticas* (ouvir até o interlocutor encerrar a fala, manter contato visual, solicitar tempo para falar, apresentar sua versão dos fatos, expor opinião, relacionar a não aceitação da crítica em relação à veracidade do acontecimento).
- ✓ Falar com pessoa que exerce papel de autoridade: cumprimentar, apresentar-se, expor motivo da abordagem, fazer e responder perguntas, fazer pedido (se for o caso), tomar nota, agendar novo contato (se for o caso), agradecer, despedir-se.

6. **Expressar solidariedade**. Identificar necessidades do outro, oferecer ajuda, expressar apoio, engajar-se em atividades sociais construtivas, compartilhar alimentos ou objetos com pessoas deles necessitadas, cooperar, expressar compaixão, participar de reuniões e campanhas de solidariedade, fazer visitas a pessoas com necessidades, consolar, motivar colegas a fazer doações.

7. **Manejar conflitos e resolver problemas interpessoais**. Acalmar-se exercitando autocontrole diante de indicadores emocionais de um problema, reconhecer, nomear e definir o problema, identificar comportamentos de si e dos outros associados à manutenção ou solução do problema (como avaliam, o que fazem, qual a motivação para mudança), elaborar alternativas de comportamentos, propor alternativas de solução, escolher, implementar e avaliar cada alternativa ou combinar alternativas quando for o caso.

8. **Expressar afeto e intimidade (namoro, sexo).** Aproximar-se e demonstrar afetividade ao outro por meio de contato visual, sorriso, toque, fazer e responder perguntas pessoais, dar informações livres, compartilhar acontecimentos de interesse do outro, cultivar o bom humor, partilhar de brincadeiras, manifestar gentileza, fazer convites, demonstrar interesse pelo bem-estar do outro, lidar com relações íntimas e sexuais, estabelecer limites quando necessário.

9. **Coordenar grupo.** Organizar a atividade, distribuir tarefas, incentivar a participação de todos, controlar o tempo e o foco na tarefa, dar *feedback* a todos, fazer perguntas, mediar interações, expor metas, elogiar, parafrasear, resumir, distribuir tarefas, cobrar desempenhos e tarefas, explicar e pedir explicações, verificar compreensão sobre problemas.

10. **Falar em público.** Cumprimentar, distribuir o olhar pela plateia, usar tom de voz audível, modulando conforme o assunto, fazer/responder perguntas, apontar conteúdo de materiais audiovisuais (ler apenas o mínimo necessário), usar humor (se for o caso), relatar experiências pessoais (se for o caso), relatar acontecimentos (incluir subclasses do item anterior), agradecer a atenção ao finalizar.

Essas dez classes gerais e respectivas subclasses de Habilidades Sociais são reconhecidas como relevantes ao longo do ciclo vital. A proficiência esperada para uma classe pode variar dependendo da etapa de desenvolvimento em que a pessoa se encontra, e algumas podem ser mais críticas ou relevantes para determinadas etapas. Por exemplo: pode-se supor melhor desempenho de um jovem para lidar com críticas do que de uma criança pequena. Ainda que diferenciados pelas peculiaridades próprias de cada etapa do desenvolvimento, ao lidarem com críticas, ambos devem apresentar alguns dos principais comportamentos dessa classe. Pode-se verificar que há habilidades esperadas somente a partir da adolescência, relacionadas a namoro e sexo, e outras que, embora possam ocorrer em qualquer etapa, são acompanhadas de expectativas diferenciadas quanto à proficiência e elaboração do desempenho (por exemplo, falar em público, coordenar grupos).

Habilidades Sociais básicas

Dentre as classes de Habilidades Sociais apresentadas no Quadro 2.1, algumas poderiam ser consideradas como Habilidades Sociais básicas, já que estão presentes em várias classes. Portanto, elas deveriam ser aprendidas ou aperfeiçoadas por todos os participantes de um THS. Quais são essas habilidades?

As Habilidades Sociais básicas incluem observar e descrever comportamentos, relatar interações, fazer e responder perguntas, elogiar etc. O aperfeiçoamento dessas classes deve ser alvo de promoção logo nas sessões iniciais de um programa, juntamente com dar *feedback*, efetuar análise de contingências e demonstrar afeto positivo, pois, além de facilitar as aquisições posteriores, contribuem para estruturar um contexto terapêutico de participação e apoio entre cliente, significantes e terapeuta.

Habilidades Sociais: topografia e funcionalidade

As Habilidades Sociais descritas no Quadro 2.1 são compostas por elementos verbais (*o que se fala*), mas sua efetividade depende drasticamente da forma do desempenho (*como se fala*). Assim, a análise dos deficits e recursos em Habilidades Sociais do cliente deve contemplar também os Componentes Não Verbais e Paralinguísticos (CNVP[1]) que caracterizam a forma ou topografia do desempenho e se referem a aspectos como postura, expressão facial, contato visual, fluência no falar etc.

Quando se trata de Habilidades Sociais, topografia e função estão bastante relacionadas. Muitas vezes, pequenas alterações na forma do desempenho (expressão facial, postu-

> Alterar a topografia é fundamental sempre que ela compromete a funcionalidade do desempenho.

---

1. Ao longo deste livro, a sigla CNVP será adotada sem diferenciar singular e plural.

ra, gestos, tom de voz etc.) podem facilitar ou comprometer sua funcionalidade, ou seja, seus resultados em tarefas interpessoais (A. Del Prette & Del Prette, 2009). Portanto, a funcionalidade e a efetividade das Habilidades Sociais não podem ser consideradas independentemente da topografia ou da forma dos desempenhos, ou seja, dos CNVP (A. Del Prette, & Del Prette, 2009).

A importância e a diversidade dos CNVP no campo das Habilidades Sociais encontram-se bastante detalhadas na literatura (A. Del Prette & Del Prette, 1999; Caballo, 2003; Z. Del Prette & Del Prette, 2009). A Figura 1.3 apresenta o conjunto dos principais itens de CNVP que devem ser objeto de atenção em programas de THS.

Figura 1.3. Portfólio de Componentes Não Verbais e Paralinguísticos.

Os itens da Figura 1.3 também devem ser avaliados pelo terapeuta e reunidos no Portfólio do Cliente. Alguns autores (Caballo, 2003) incluem entre os CNVP os indicadores fisiológicos (rubor, tremores etc.) e a aparência física (vestimenta, adereços, maquilagem etc.), uma vez que podem impactar sobre a avaliação de Competência Social. Há uma extensa produção de conhecimentos sobre os CNVP, especialmente a partir das pesquisas de Argyle (1967/1994; 1984). Com base nessas pesquisas, cabem algumas considerações importantes para programas de THS:

- Os CNVP possuem funções de apoiar, enfatizar, complementar o significado da comunicação verbal; em alguns casos, podem mesmo contradizê-la, por exemplo, quando alguém diz que está bem, ao mesmo tempo em que faz o gesto do polegar para baixo ou apresenta a expressão de tristeza.

- Geralmente as pessoas têm bom controle sobre O QUE falam, porém, menos sobre COMO falam, especialmente com relação às extremidades motoras. Por exemplo: expressão de tranquilidade no rosto enquanto tamborila com os dedos ou balança as pernas de maneira contínua.

- Dada essa dificuldade de controle e por estarem associados a alterações fisiológicas típicas de estados emocionais, os CNVP são, muitas vezes, indicadores mais confiáveis de sentimentos (e por vezes de crenças) do que os conteúdos verbalizados pela fala.

- Os CNVP devem ser avaliados, tal como as demais Habilidades Sociais, considerando-se os padrões culturalmente aprovados para cada situação ou tarefa interpessoal.

- De um modo geral, os CNVP adequados situam-se a meio-termo entre a expressividade baixa e a exagerada, podendo ser problemáticos: contato visual excessivo (encarado) e mínimo, fala muito rápida ou muito lenta, excessiva ou nenhuma gesticulação etc.

- Os gestos podem assumir significados completamente diversos – e até opostos – em diferentes culturas.

- Alguns padrões típicos de CNVP podem incluir diferenças culturais de gênero: aceitáveis para mulheres, mas não para homens ou vice-versa.

Nas interações face a face, o conteúdo verbal (o que se fala) está sempre associado aos componentes não verbais e paralinguísticos da comunicação (como se fala). Com o advento da comunicação virtual por meio da escrita, o desafio é a comunicação

de sentimentos. Mesmo utilizando a pontuação consagrada pela língua (exclamações, interrogações, reticências etc.), que permite a identificação de um "subtexto" ou "leitura das entrelinhas" de uma mensagem escrita, parece ser necessário dispor de indicadores "extras" da emoção, por meio de símbolos gráficos. Por isso, são cada vez mais explorados os chamados *emoticons* e outras ilustrações usadas como complementos do texto escrito visando transmitir emoções, intenções, pensamentos etc. Portanto, a questão da topografia ou forma também se aplica às interações virtuais mediadas pela escrita.

Sobre a aprendizagem de Habilidades Sociais

Grande parte das necessidades das pessoas é mediada por outros indivíduos e depende de interações entre eles. Essa é uma característica de qualquer comportamento social em um ambiente comum (Skinner, 1953/1967), em que o comportamento de uma pessoa pode ser um antecedente ou consequente ao comportamento do outro. Nesse sentido, as Habilidades Sociais se caracterizam também como comportamentos sociais. E como qualquer comportamento, as Habilidades Sociais foram e continuam sendo a resultante de três processos de variação e seleção: o filogenético, o ontogenético e o cultural (Skinner, 1981/2007).

A seleção filogenética refinou características anatômicas, fisiológicas e comportamentais favoráveis à aquisição e ao aperfeiçoamento de comportamentos sociais, entre os quais as Habilidades Sociais, que se mostraram importantes na sobrevivência da espécie (Trower, 1995). Tomando por base a análise de Glenn (2004) para o comportamento verbal, Del Prette e Del

Prette (2010) destacam, entre outras, as seguintes características: 1) a flexibilidade da musculatura facial, refinando a expressividade facial e a discriminação dos estímulos provenientes da expressividade do outro na interação social, 2) a sensibilidade aos estímulos sociais e tendência à proximidade com outros da própria espécie (gregarismo) e 3) a suscetibilidade à seleção pelas consequências, ampliando as possibilidades de aprendizagem na relação com os outros.

A seleção ontogenética se refere às Habilidades Sociais aprendidas ao longo da vida. Essa aprendizagem ocorre, em grande parte, por meio das condições "naturais" dispostas na família, escola, ambientes de trabalho e lazer etc., por meio de três processos principais interdependentes: a modelação, a instrução e a consequenciação.

Em termos de seleção cultural, é amplamente reconhecida a influência da cultura sobre as Habilidades Sociais. Cada cultura estabelece padrões valorizados, tolerados ou reprovados de comportamentos sociais que são disseminados entre seus membros e reproduzidos ao longo do tempo. Considerando que uma cultura nunca é monolítica, ou seja, que ela comporta diferentes subculturas, certos comportamentos aceitos e esperados em alguns subgrupos podem ser reprovados em outros e vice-versa.

Em síntese, como qualquer outro comportamento, as Habilidades Sociais (e também os demais requisitos da Competência Social, abordados no próximo capítulo) são aprendidas ao longo da vida por meio de processos formais ou informais de interação com as demais pessoas e, portanto, influenciadas pela cultura e contingências imediatas do ambiente. Quando o ambiente natural não é favorável, podem ocorrer dificuldades e falhas na aquisição e aperfeiçoamento de Habilidades Sociais, inclusive com problemas de comportamento concorrentes, cuja superação irá requerer intervenções educativas e/ou terapêuticas. Essas intervenções envolvem basicamente a reestruturação dos processos de aprendizagem antes referidos, em condições mais favoráveis.

2.

COMPETÊNCIA SOCIAL

*Há três modos gerais para conduzir as relações
interpessoais. O primeiro é* considerar *somente a si
mesmo, desconsiderando os outros... O segundo é sempre
colocar os outros antes de você... O terceiro é a regra de
ouro... considerar a si mesmo e também aos demais.*

Joseph Wolpe

Conforme antes referido, o conceito de Competência Social é entendido como central no campo das Habilidades Sociais. Tal premissa é coerente com a definição desse conceito, considerando os critérios de avaliação que dele decorrem e o conjunto de requisitos que estão na base de um desempenho socialmente competente. Esses aspectos são abordados neste capítulo.

Definição de Competência Social

Grande parte dos estudiosos da área concorda que o conceito de Competência Social tem grande importância para a qualidade dos processos das relações interpessoais. Enquanto conceito, o termo Competência Social aplica-se à avaliação do desempenho e de seus resultados, portanto, sua definição deve incluir, pelo menos, as caraterísticas especificadas a seguir.

> **Competência Social** é um constructo *avaliativo* ❶ do desempenho de um indivíduo (pensamentos, sentimentos e ações) em uma tarefa interpessoal ❷ que atende aos objetivos do indivíduo e às demandas da situação e cultura, ❸ produzindo resultados positivos conforme critérios instrumentais e éticos.

A definição apresentada destaca o caráter avaliativo da Competência Social aplicado ao desempenho (incluindo coerência entre comportamentos abertos e encobertos) e aos resultados do desempenho em tarefas interpessoais, conforme objetivos do indivíduo e demandas da situação reconhecidas na cultura. Enquanto o conceito de Habilidades Sociais refere-se à descrição de componentes do desempenho em resposta à pergunta "O que e como o participante da interação fez", o conceito de Competência Social refere-se não apenas à avaliação da qualidade desse desempenho, mas também à sua efetividade em termos de resultados, considerando as demandas da tarefa interpessoal. Na perspectiva aqui adotada, inclui resposta às questões:

- Como foi o desempenho?
- Quais os resultados do desempenho do indivíduo?
- Os resultados foram bons também para o interlocutor?
- Poderão também beneficiar o grupo de ambos e até mesmo a comunidade?

Em resumo, a avaliação de Competência Social implica considerar a qualidade do desempenho e seus resultados imediatos e de médio e longo prazo, não somente para o indivíduo, mas também para o outro e o grupo social. Esses aspectos são abordados com mais detalhe a seguir.

Competência Social: comportamentos encobertos e manifestos

O desempenho de uma pessoa em tarefas interpessoais depende de seu repertório de Habilidades Sociais, porém, não apenas. Na maior parte dessas tarefas, um desempenho socialmente competente requer a articulação entre várias Habilidades Sociais e, também, destas com componentes cognitivos e afetivos não diretamente observáveis, que incluem pensamentos, sentimentos, objetivos, padrões de realização, autoeficácia, autorregras etc., ou seja, comportamentos encobertos associados ao desempenho. Por isso, faz sentido considerar que um desempenho socialmente competente implica coerência entre comportamentos abertos (observáveis) e "encobertos" (privados) e, ainda, em relação às regras do grupo no qual a pessoa se insere e com as quais ela concorda.

Orientado por uma abordagem de processamento de informação, McFall (1982) inclui, entre os componentes "encobertos" das Habilidades Sociais, os processos de decodificação das demandas do contexto (percepção, interpretação etc.), de seleção e decisão sobre o que e como responder, bem como de previsão de possíveis consequências. Esses e outros componentes encobertos que precedem e acompanham o desempenho social estão contemplados no conceito de automonitoria, considerado um requisito indispensável para a Competência Social e tratado com mais detalhamento no capítulo 2.

A coerência entre comportamentos públicos e privados nem sempre é facilmente encontrada na vida social. Ela certamente ocorre mais facilmente quando as autorregras do indivíduo são coerentes com as normas da comunidade na qual ele está inserido. No  entanto, a comunidade verbal frequentemente consequencia positivamente comportamentos abertos que não correspondem aos encobertos, tais como os comportamentos de deturpar ou de exagerar fatos, omitir acontecimentos etc. Em programas de THS orientados por valores que beneficiam a ambos os interlocutores, é importante estabelecer condições para a ocorrência e fortalecimento da correspondência entre o dizer a si (pensar) e o desempenho na interação com os demais por meio de procedimentos específicos (A. Del Prette & Del Prette, 2001; Z. Del Prette & Del Prette, 2005a; 2010).

Critérios de avaliação da Competência Social

Conforme Schlundt e McFall (1985, p. 23), a atribuição de Competência Social "envolve um julgamento de valor, por parte de um observador, quanto à efetividade do desempenho do participante em uma tarefa específica". Efetividade significa resultados desejáveis, derivados do desempenho do indivíduo em uma tarefa interpessoal. Quais seriam esses resultados? Desejáveis, para quem? Essas questões colocam a necessidade de **critérios** para avaliar os resultados indicadores de Competência Social.

> O avaliador pode ser um observador externo e também a própria pessoa em interação.

Uma proposta de critérios para avaliar a funcionalidade do desempenho social foi apresentada por Linehan (1984) em relação à assertividade feminina. A autora defendeu três critérios para considerar um desempenho assertivo: atingir objetivos imediatos, manter ou melhorar a relação interpessoal e manter ou melhorar a autoestima. Considerando a Competência Social (enquanto constructo diferenciado do de Habilidades Sociais), esses critérios foram incluídos entre os propostos por Del Prette (1982, p. 9), que adicionou, na época, o de "equilibrar reforçadores ou, no mínimo, de assegurar direitos humanos básicos". O conjunto de critérios para avaliar a Competência Social (A. Del Prette & Del Prette, 2001; Z. Del Prette & Del Prette, 1999; 2005a) tem sido assim detalhado:

(a) **Consecução do objetivo**. Refere-se às consequências específicas e imediatas da tarefa interpessoal para o(s) indivíduo(s) que está(ão) sendo avaliado(s) e podem ser acessadas em resposta à pergunta: *Conseguiu(ram) alcançar o(s) objetivo(s) da tarefa interpessoal?*

(b) **Manutenção/melhora da autoestima**. Refere-se a consequências imediatas em termos de indicadores emocionais de satisfação pessoal com os resultados obtidos, associados à aprovação do desempenho pela comunidade verbal, ambos contribuindo para o fortalecimento e manutenção dos desempenhos e para a autoeficácia do participante da tarefa interpessoal. Essas consequências podem ser aferidas em resposta a questões como: *A interação afetou de maneira neutra, negativa ou positiva a autoestima e a satisfação dos que dela tomaram parte?*

(c) **Manutenção/melhora da qualidade da relação**. Refere-se a consequências menos imediatas, em médio ou longo prazo, sobre os interlocutores e a probabilidade de manterem ou melhorarem um relacionamento positivo – perguntas reflexivas auxiliam na avaliação, como, por exemplo: *Ambos os participantes da interação buscariam novas oportunidades de contato social? Um dos participantes da interação evitaria contatos futuros?*

(d) **Equilíbrio de poder entre os interlocutores**. Reciprocidade positiva de trocas, seja de comportamentos, seja de produtos concretos ou simbólicos: *O desempenho dos participantes da interação contribuiu para o equilíbrio de trocas? Ou aumentou o desequilíbrio, beneficiando mais a um do que a outro ou em detrimento do outro?*

(e) **Respeito/ampliação dos direitos humanos interpessoais**. Refere-se à consequência do desempenho em termos de direitos: *O desempenho dos participantes contribuiu para manter ou ampliar direitos socialmente estabelecidos, como, por exemplo, direito de ser ouvido e levado a sério, de expressar opinião, de discordar, de ser respeitado em sua dignidade e integridade física ou moral?*

Alguns desses critérios não são facilmente aplicados, mas podem ser avaliados em sua probabilidade de ocorrência com base na observação dos desempenhos e dos relatos. Os três primeiros (a, b, c) contemplam resultados imediatos e podem ser observados pelos envolvidos e por avaliadores externos. Os três últimos critérios contemplam resultados de médio e longo prazo para os envolvidos na tarefa interpessoal e, eventualmente, para o grupo social. São resultados não prontamente observáveis, mas que podem ser inferidos com base no relato e no conhecimento das normas e regras da cultura.

Enquanto os primeiros critérios podem ser de maior interesse para um dos indivíduos, os últimos necessariamente devem beneficiar o interlocutor e/ou o grupo. Por isso, pode-se afirmar que os critérios de Competência Social contemplam duas dimensões de resultados: uma instrumental, mais imediata, que atende interesses individuais dos interlocutores, e uma ética, que pode ocorrer em médio e longo prazo atendendo também interesses do grupo social (cf. A. Del Prette & Del Prette, 2001; Z. Del Prette & Del Prette, 1999; 2005a).

É importante reconhecer que, para ser considerado socialmente competente, o desempenho não precisa ser excepcional, mas sim produzir resultados desejáveis, de acordo com os critérios de Competência Social. Como em muitas tarefas interpessoais nem todos os critérios de Competência Social são alcançados simultaneamente, a atribuição de Competência Social a um desempenho pode ser maior ou menor, dependendo da quantidade e diversidade dos critérios atendidos. Essa relatividade suscita várias questões:

- Qual o critério essencial ou básico de um desempenho para que seja considerado como socialmente competente?
- O indivíduo que não atinge seus objetivos na tarefa interpessoal poderia ser considerado socialmente competente?
- Se sim, por que um indivíduo com desempenho avaliado como socialmente competente não atingiria seu objetivo (critério a)?

Essas questões estão relacionadas à dimensão ética da Competência Social, que é contemplada nos critérios de avaliação antes referidos. Elas são analisadas com mais detalhe a seguir.

Dimensão ética e critério básico de Competência Social

Alguns filósofos (como Kant, em *Crítica da razão prática*) supunham uma lei moral intrínseca ao indivíduo, que regulava suas ações. Independentemente dessa possibilidade, os legisladores e governos trataram de estabelecer normas e leis que, de um lado, contingenciavam punitivamente comportamentos "não desejáveis" e, por outro, tornaram tais comportamentos pouco atrativos, considerando seus riscos. Entretanto, também essas alternativas não foram suficientes para tornar as interações sociais livres de desequilíbrio com perdas significativas para uma parte e ganhos para a outra.

A lei que enfatizava contingências punitivas foi denominada de Lei de Talião. Na antiga Mesopotâmia, Hamurabi providenciou que as regras previstas em vários casos comuns em que ele arbitrava fossem escritas em monólitos (grandes pedras) e colocadas em locais de visibilidade. Contudo, a reciprocidade negativa dependia das posses e do prestígio, e sua aplicação penalizava as classes desfavorecidas. Esse Código de Hamurabi foi popularizado por "olho por olho, dente por dente". Grande parte da legislação humana ainda se baseia nesse código e as práticas educativas familiares e escolares também o utilizam, mesmo reconhecendo seu fracasso. Na análise do comportamento, essa prática cultural, ainda em vigência, seria denominada de "cerimonial" (Glenn, 2005), porque beneficia apenas quem tem o controle da situação.

Na análise dos códigos adotados em algumas culturas antigas, possivelmente em oposição à Lei de Talião, surgiu a chamada Lei Áurea. Essa lei aparece em várias culturas (judaica, romana, chinesa, grega), com pequenas variações nos enunciados, mantendo, contudo, o mesmo significado. Essa proposição ficou conhecida como Regra de Ouro. De maneira simplificada ela estabelece que o comportamento social de alguém seja orientado por "fazer ao outro o que gostaria que este lhe fizesse". Tal regra poderia funcionar como um estímulo discriminativo para duas ou mais pessoas em interação. Pode-se dizer ainda que, ao iniciar a interação, o indivíduo que pretende se orientar por tal regra faz alguma estimativa do impacto de seu comportamento sobre os demais, supondo trocas apropriadas que beneficiam a todos. Seguir essa norma parece gerar alta probabilidade de reciprocidade positiva na interação, porém não quando o beneficiado se orienta por outra regra. A adoção da Regra de Ouro, nas práticas culturais, certamente poderia somar-se às chamadas contingências tecnológicas (Glenn, 2005), ou seja, aquelas que são mantidas pela sua utilidade, em termos de resultados que beneficiam o grupo; nesse caso, pelo menos em termos de saúde e qualidade de vida do grupo social.

O critério de reciprocidade implícito no conceito de Competência Social exclui, portanto, comportamentos que produzem danos aos demais, enfatizando resultados de curto, médio e longo prazo em termos de bem-estar para o interlocutor e o grupo social. Esse tipo de resultado caracteriza o que está aqui denominado de valores morais ou éticos de convivência, usualmente referidos às noções de justiça, equidade, liberdade, solidariedade, bem-estar etc. É com base na reciprocidade positiva da Regra Áurea que se pode estabelecer o critério básico ou essencial para um desempenho ser considerado como socialmente competente.

> Entende-se que, para um desempenho ser considerado socialmente competente, deve atender à Regra Áurea *Fazer ao outro o que gostaria que lhe fizesse*, ou, no mínimo, a regra de *Não fazer ao outro o que não gostaria que este lhe fizesse*, evitando trocas negativas, maximizando a probabilidade de equilíbrio de trocas positivas entre os interlocutores e respeitando os direitos interpessoais. Isso significa que a consecução de objetivos pessoais que implica danos ao outro não permite caracterizar um desempenho como socialmente competente.

Os estudos no campo das Habilidades Sociais têm, em geral, utilizado apenas a dimensão instrumental da Competência Social, possivelmente porque os critérios para avaliá-la são mais facilmente acessados. No entanto, em estudo sobre *bullying* na escola, Comodo (2016) demonstrou a possibilidade de investigar indicadores de Competência Social em vítimas, testemunhas e autores, produzindo resultados que, além de contemplarem valores de convivência na educação escolar, sugerem procedimentos dentro de alguns dos critérios desse construto.

Considerando os critérios associados à dimensão ética, pode-se afirmar que o desempenho socialmente competente supõe a possibilidade de escolha entre cursos de ação. Essa escolha é baseada na previsão de possíveis consequências, tanto para o indivíduo como para os demais, e tanto imediatas como de médio e longo prazo. Essas escolhas requerem autocontrole associado a um autogerenciamento ético (Skinner, 1972), no sentido de decisões sobre cursos de ação futura e, portanto, uma análise de possíveis contingências em vigor (cf. Dittrich, 2010). O autogerenciamento aqui referido e suas implicações éticas remetem ao conceito de automonitoria, um dos requisitos da Competência Social, detalhada no próximo capítulo.

A possibilidade de escolha a partir da análise de contingências contextuais da tarefa interpessoal contribui para responder às duas questões finais da seção anterior: como e por que um indivíduo com um desempenho socialmente competente nos critérios *b, c, d* e *e* pode não atingir seus objetivos pessoais na interação (critério *a*). Isso pode ocorrer pelo menos nos casos em que:

- A tarefa interpessoal envolve conflito entre os objetivos dos participantes da interação, como um pedido feito de forma competente que é recusado por alguém competente na habilidade de recusar. Por exemplo: Julia faz um pedido à Marta e tem seu pedido recusado. Para Marta, que não pretendia atender ao pedido, o sucesso na tarefa implica recusá-lo. Entre duas pessoas geralmente competentes, a consecução de objetivos conflitantes pode variar em função de contingências momentâneas. Porém, quando os objetivos são complementares, como na interação entre um comprador e um vendedor de livro, a Competência Social de um pode beneficiar a ambos os interlocutores.

- A consecução do objetivo não depende apenas do desempenho. Por exemplo: um excelente desempenho em entrevista de emprego em contexto marcado pela recessão econômica pode não resultar na obtenção do emprego.

- O indivíduo altera seu desempenho de modo a garantir os demais critérios em lugar de atingir o objetivo inicial, como forma de minimizar danos e/ou maximizar resultados positivos de médio e/ou longo prazo. Por exemplo: deixar de manifestar discordância a um interlocutor que demonstra pouco controle emocional.

Em todos os exemplos, obter ou não os resultados pretendidos é um critério objetivo, mas não suficiente, pois deixa de lado a análise das contingências da tarefa interpessoal (primeiro exemplo) e do contexto mais amplo (segundo exemplo), bem como os resultados para o interlocutor em termos da dimensão ética (último exemplo).

Competência Social e reciprocidade nas trocas

A adoção da centralidade da Competência Social na análise dos desempenhos interpessoais requer duas considerações. A primeira refere-se à questão do equilíbrio de trocas entre os interlocutores; a segunda está relacionada à possibilidade de objetivos conflitantes em tarefas interpessoais.

O descompasso momentâneo nas trocas reforçadoras entre os membros da díade ou do grupo não anula a importância do **equilíbrio** quando se considera um tempo mais extenso de relacionamento. Esse equilíbrio não é estático, mas dinâmico, com ganhos e perdas que podem se alternar no tempo. É esse equilíbrio que amplia a probabilidade de manutenção dos relacionamentos, como, por exemplo, nas trocas afetivas entre familiares, amigos, cônjuges, colegas de trabalho etc. Exemplificando com a relação conjugal, o marido acompanha a companheira em uma apresentação esportiva, quando preferia ficar em casa lendo ou descansando. Ele  faz isso retribuindo a gentileza dela, que o acompanhou em reunião comemorativa na empresa onde trabalha.

Essas concessões caracterizam reciprocidade, no sentido antes referido, e requerem autocontrole para renunciar [a] ou postergar ganhos imediatos, procurando manter um padrão de trocas positivas em médio e longo prazo (Rachlin, 1974). Trata-se também da superação do egocentrismo, uma vez que nem sempre é possível manter a intermitência das trocas ao longo do tempo. Em outras palavras, as trocas raramente são imediatas e ceder em benefício do outro ocorre, ao longo do tempo, com alternâncias de custos e benefícios.

Evidentemente, os relacionamentos saudáveis não são formados apenas dessas "pequenas gentilezas", mas também do exercício contínuo de comunicação empática e assertiva. Vivenciar diferentes emoções, como ternura, alegria, gratidão, amor, amizade etc., faz parte dos relacionamentos duradouros. Por outro lado, exercitar a comunicação assertiva constitui a base para relações "autênticas", em médio e longo prazo. É amplamente reconhecido que as consequências imediatas da assertividade podem envolver custo para as pessoas em interação.

Em síntese o equilíbrio de trocas é dinâmico, e não estático, ou seja, não se trata de uma contabilidade contínua e pontual, mas de uma avaliação geral e relativizada das trocas que ocorrem no tempo. Dependendo de circunstâncias, essa avaliação pode produzir três alternativas mais prováveis:

(A) Ambas as partes obtêm, simultânea ou alternadamente, quantidade similar de benefícios e custos.

(B) Uma das partes consegue maior quantidade de benefícios do que a outra, que permanece com maiores custos.

(C) As duas partes obtêm pouca quantidade de benefícios e maior de custos.

A alternativa (A) é certamente a mais desejável, porém, ocorre com menor frequência. Se a Regra de Ouro fosse aplicada (em lugar da Lei de Talião), provavelmente a alternativa (A) ocorreria com maior frequência. A alternativa (B) pode levar ao término do relacionamento, menos provável quando o desequilíbrio é temporário ou motivado por acontecimentos inevitáveis, como doença prolongada de um dos membros da díade, perda de parentes, desemprego etc. A alternativa (C) parece prognosticar uma sobrevida mínima do relacionamento, salvo exceções como, por exemplo, da pessoa que tem uma vida de renúncia e aceita isso como uma espécie de destino.

As dimensões instrumental e ética podem ser conflitantes, especialmente em tarefas interpessoais que caracterizam demandas para habilidades assertivas. Em tais casos, desempenhos sociais menos elaborados (passividade, esquiva etc.) podem ocorrer, não devido a deficits de Habilidades Sociais, mas em função da avaliação do indivíduo sobre as consequências negativas prováveis para o outro, imediatas ou de médio e longo prazo. Esse é o caso, já exemplificado, da pessoa que omite sua opinião contrária a um posicionamento de outra, por perceber que aquela está fragilizada emocionalmente e que isso poderia causar-lhe ainda mais desconforto naquele momento (aplicação da Regra de Ouro).

Requisitos da Competência Social

As Habilidades Sociais constituem condição necessária, mas não suficiente para a Competência Social. Cabe então questionar: Quais seriam essas outras condições? Para além das eventuais disfunções orgânicas que poderiam comprometer o desempenho interpessoal e de dispor de um bom repertório variado de Habilidades Sociais, diversos fatores devem ser considerados. Grosso modo, podem ser arrolados os seguintes:

- Buscar, em uma tarefa interpessoal, resultados compatíveis com os critérios de Competência Social, especialmente aqueles associados à dimensão ética.
- Reconhecer os próprios recursos e limitações, bem como as regras e normas do ambiente social.
- Discriminar onde, como, com quem e em que momento responder a determinadas demandas de interação.
- Articular habilidades em desempenhos mais complexos, monitorando "passo a passo" o próprio desempenho.

Esses itens apontam para outros requisitos da Competência Social que reforçam sua diferenciação em relação ao conceito de Habilidades Sociais. Assim, considerando os conceitos já apresentados, pode-se propor um esquema didático das relações entre a Competência Social e seus requisitos, com destaque para as Habilidades Sociais, mas incluindo os demais antes referidos. Esse esquema é apresentado na Figura 2.1.

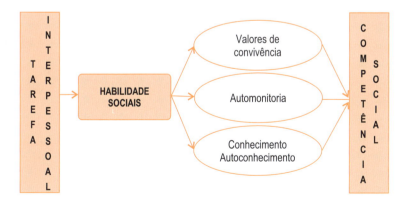

Figura 2.1. Ilustração esquemática dos requisitos da Competência Social.

Conforme o esquema, para um desempenho socialmente competente em uma dada tarefa interpessoal o indivíduo precisa dispor de quatro requisitos: (a) um repertório de Habilidades Sociais pertinentes a essa tarefa; (b) compromisso com valores de convivência compatíveis com a dimensão ética da Competência Social; (c) automonitoria do desempenho na interação; (d) autoconhecimento de recursos e limitações associado ao conhecimento das normas e regras do ambiente social em que se encontra.

Defende-se que a promoção desses requisitos é importante em qualquer programa de Treinamento de Habilidades Sociais que pretenda resultados coerentes com o conceito de Competência Social. Cada um desses requisitos é tratado brevemente e em separado nas seções seguintes, mas todos devem ser promovidos de forma integrada ao longo de um programa.

Habilidades Sociais e variabilidade comportamental

Em geral, em grande parte das atividades rotineiras, incluindo as de natureza social, as pessoas tendem a repetir os comportamentos bem-sucedidos. O mesmo pode não ocorrer para tarefas interpessoais novas e de maior complexidade. Pode-se dizer que, nas tarefas "usuais", a variabilidade requerida é mínima e possivelmente desnecessária, uma vez que um padrão estereotipado obtém os resultados esperados.

Na interação com pessoas, também é possível que parte das tarefas interpessoais seja relativamente automatizada (pedir uma informação, responder a um cumprimento, atender a um chamado etc.). No entanto, quando o padrão deixa de funcionar, ou seja, de gerar as consequências esperadas, ou quando estamos diante de demandas novas, a variabilidade passa a ser fundamental. Em

> Desempenhos sociais repetitivos e ritualísticos podem dificultar ou mesmo impedir uma interação bem-sucedida quando a situação requer variabilidade.

outras palavras, são as contingências do ambiente social que vão determinar o que funciona ou não naquele ambiente (seleção por contingências).

De modo bastante simplificado, a variabilidade comportamental refere-se à diversidade de alternativas de que o indivíduo dispõe para lidar com as situações. Entretanto, é um equívoco pensar que as consequências positivas produzem a estereotipia do comportamento. Estudos sobre variabilidade (Hunziker & Moreno, 2000; Rangel, 2010) mostram que não é o reforçamento que produz a estereotipia, mas as características das contingências em que este ocorre. Em outras palavras, a repetição (estereotipia) pode ser bem-sucedida se as contingências da situação ou tarefa interpessoal exigem-na (por exemplo, responder um cumprimento, parabenizar um conhecido pelo aniversário etc.). Ainda que a repetitividade seja bem-sucedida, seus limites devem ser considerados, pois, em excesso, pode ser disfuncional e fazer parte de indicadores de transtornos como a Síndrome de Asperger e Transtorno Obsessivo Compulsivo. Os casos de depressão e timidez, geralmente indicados para o THS, também requerem ênfase na variabilidade no repertório de Habilidades Sociais.

Promover a variabilidade significa ajudar o cliente a aprender alternativas de Habilidades Sociais para atender às tarefas interpessoais relevantes de sua vida. Essa variabilidade pode ser concebida entre e intraclasse, como mostra a Figura 2.2.

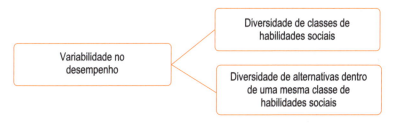

Figura 2.2. Variabilidade comportamental em programas de THS.

Conforme ilustrado na Figura 2.2, a variabilidade pode ser promovida tanto em termos da diversidade de classes de Habilidades Sociais no repertório do indivíduo (por exemplo: assertivas, empáticas, de trabalho etc.) como na diversidade de alternativas (subclasses, topografias) para o desempenho de uma mesma classe (por exemplo: as diferentes formas de demonstrar afeto ou assertividade). Em ambos os casos é importante privilegiar as que são deficitárias e críticas em suas tarefas interpessoais.

> **Variabilidade** é mais do que diversidade de alternativas: ela implica aprendizagem prévia para discriminar contingências da tarefa, escolher, testar e avaliar alternativas potencialmente efetivas para lidar com as demandas das tarefas interpessoais.

A variabilidade na topografia pode mostrar-se funcional para determinadas demandas. Por outro lado, em situações que se repetem, variações na topografia do desempenho podem gerar melhores resultados. Por exemplo: pequenas alterações no tom da voz podem caracterizar respostas funcionalmente diferentes, alterando a efetividade do desempenho. Considere as possíveis diferenças entre esses dois pedidos: (a) *Faz isso para mim!* (Tom de ordem); (b) *Faz isso para mim?* (Entonação de pedido). Elas mostram diferenças entre ordenar e pedir, sugerir e impor, podendo ter diferentes impactos sobre a reação do interlocutor. Contudo, em algumas situações, não é suficiente alterar apenas a topografia; é importante discriminar as demandas da situação e alterar a classe de Habilidades Sociais em curso ou prevista para lidar com elas.

A variabilidade é condição básica para o ajuste do próprio desempenho aos objetivos e demandas de tarefas interpessoais específicas, e também para a adaptação a mudanças de um sistema social para outro. Por exemplo: a entrada na escola, a participação no mundo adulto, o início em novo emprego etc. implica lidar com contingências novas, desconhecidas ou instáveis. A aprendizagem de discriminação das contingências dificilmente ocorre sem exposição direta a situações e tarefas, bem como às consequências de diferentes alternativas para lidar com elas. Nesse caso, procedimentos instrucionais dificilmente contemplam todas as nuanças das contingências que sinalizam alternativas pertinentes de desempenho.

Exemplificando: após vários desempenhos bem-sucedidos seguindo instruções, o cliente se depara com mudanças na demanda antecedente, as quais requerem desempenhos que ele tem dificuldade de discriminar. Suas alternativas são: (a) manter o mesmo padrão de desempenho; (b) deixar de responder à situação fugindo ou se esquivando de algum modo. Nesse e em outros casos, a instrução, isoladamente, sem um treino de discriminação, pode não surtir os efeitos desejados e outros procedimentos poderiam ser mais efetivos, tais como: (a) ensaiar respostas variadas em algumas situações e manter padrão repetitivo em outras; (b) treinar a observação de consequências negativas obtidas por alguém (personagem de filme) que mantém resposta inalterada (sem variação) quando a situação exige alteração.

Em resumo, entende-se que, para ser efetivo, um programa de THS focado na Competência Social deve promover a variabilidade, e não meramente o treino padronizado de classes de Habilidades Sociais. Essa variabilidade deve estar vinculada à análise de contingências ambientais e ao aprimoramento da discriminação e sensibilidade do cliente a contingências do ambiente e da cultura.

Automonitoria

Na Psicologia existem várias definições para o termo automonitoria. Para Dowd e Tierney (2005), por exemplo, automonitoria significa "estar ciente do que está fazendo". Essa noção e outros elementos estão presentes na definição elaborada anteriormente pelos autores.

> **Automonitoria** (ou automonitoramento) é uma habilidade meta-cognitiva e comportamental pela qual a pessoa observa, descreve, interpreta e regula seus pensamentos, sentimentos e comportamentos em situações sociais.
>
> (A. Del Prette & Del Prette, 2001, p. 62)

Com base nesse conceito e na literatura sobre automonitoria, Dias, Casali, Del Prette e Del Prette (n.d.) especificam os componentes comportamentais envolvidos no processo de monitorar o próprio desempenho em tarefas interpessoais. Essa análise resultou em uma lista de comportamentos (abertos e encobertos) que poderiam ser considerados como componentes da automonitoria, dentre os quais se destacam:

- Reconhecer os próprios comportamentos privados (crenças, sentimentos, autoeficácia etc.) em uma situação de interação.
- Identificar possíveis alternativas de desempenho durante uma interação.
- Antever consequências prováveis de diferentes alternativas de resposta.
- Escolher desempenhos considerando as alternativas de que dispõe e suas possíveis consequências.
- Regular a topografia do desempenho em situação de interação.
- Exercer autocontrole no sentido de apresentar determinados desempenhos e evitar outros, com base na avaliação das prováveis consequências.

Em resumo, automonitorar o desempenho significa observar os próprios comportamentos, inibir reações impulsivas, prever os impactos de diferentes reações e alterar o desempenho durante a interação, de modo a contemplar os critérios de Competência Social.

Um exemplo bastante comum de automonitoramento ocorre em unidades de saúde. O atendente, percebendo que o cliente tem dificuldade de ouvi-lo, fala um pouco mais alto e observa o resultado. Se o cliente sinaliza que está ouvindo, o atendente mantém seu volume de voz; caso contrário, vai ajustando e verificando o efeito, até constatar que o cliente demonstra ouvi-lo.

A automonitoria pode ser aprendida inicialmente em situações mais fáceis e gradativamente mais difíceis. A auto-observação constitui condição indispensável para isso e implica a capacidade de relatar os próprios comportamentos, pensamentos e sentimentos. Essa capacidade está relacionada às bases iniciais do autoconhecimento. Em certo sentido, pode-se conceber autoconhecimento sem automonitoria, contudo, a automonitoria inclui o autoconhecimento, na medida em que, durante uma interação em curso, para alterar o próprio comportamento em direção mais efetiva, é preciso discriminar os próprios recursos e as contingências ambientais associadas a diferentes alternativas possíveis.

Pais e professores de crianças, desde tenra idade, solicitam relatos de comportamentos e contingências como forma de avaliarem se as crianças ainda requerem maior supervisão. Esse procedimento, mesmo que não intencional, é condição para a aprendizagem inicial de automo-

nitoria. A criança aprende que seus comportamentos produzem consequências e que, se fossem outros, provavelmente as consequências poderiam também ser diferentes. Por exemplo: a criança retorna da casa do amigo e a mãe pergunta: "Quem estava na casa do Arthur? Do que vocês brincaram? Paula a deixou andar na bicicleta dela? Quando ela caiu o que você fez?"

Automonitoria e sensibilidade a contingências

A automonitoria é uma classe de comportamento importante para lidar com tarefas interpessoais, especialmente as mais complexas. Sua ausência em algumas tarefas interpessoais pode fortalecer estereotipias que comprometem o desempenho socialmente competente. Por outro lado, a automonitoria depende, em primeira instância, da sensibilidade às contingências do ambiente, ou seja, de discriminá-las e de reagir a elas. Isso ocorre porque, mesmo que a pessoa disponha de um repertório elaborado de alternativas prováveis de serem bem--sucedidas, são as contingências do ambiente natural que irão selecionar as mais funcionais para determinadas situações e contextos. A automonitoria implica, portanto, sensibilidade e análise das contingências da tarefa interpessoal, bem como autocontrole para inibir reações impulsivas e escolher as melhores alternativas de desempenho, conforme referido a seguir.

Automonitoria e autocontrole

A automonitoria envolve processos de regulação e decisão que requerem autocontrole. Aplicando o conceito de autocontrole de Rachlin (1974) ao desempenho socialmente competente, pode-se dizer que o autocontrole consiste na inibição do desempenho de respostas impulsivas mais prováveis, porém, com consequências imediatas que comprometem a Competência Social, ou ainda, recorrendo-se ao famoso "experimento do *marshmallow*" (Mischel, 1958), como a capacidade de tolerar atraso de gratificação, substituindo respostas que gerariam consequências positivas imediatas por outras com consequências positivas somente em médio ou longo prazo. Um bom exemplo é a pessoa reagir agressivamente a uma provocação (resposta imediata e mais provável, mas com consequências geralmente indesejáveis) *versus* sair da situação, ou ainda, acalmar o outro e pedir que altere seu comportamento para resolverem juntos o problema.

Desde os primeiros meses de vida, os pais procuram ensinar o autocontrole aos seus filhos. Mesmo que não seja propriamente uma classe de habilidade social, o autocontrole pode ser considerado uma condição básica para a aprendizagem de um conjunto de Habilidades Sociais, entre as quais a assertividade, a empatia, o manejo de críticas e a solução de problemas interpessoais. Algumas dificuldades de autocontrole estão associadas a comportamentos concorrentes, como a explosão de raiva, o mentir compulsivo e o envolver-se em intrigas.

Algumas vezes, a promoção da automonitoria requer um treino de autocontrole. Estratégias para isso podem incluir tarefas de: (a) identificar situações mais frequentes em que ocorrem respostas "impulsivas" e as consequências verificadas; (b) identificar situações em que exerceu o autocontrole (mesmo que com dificuldade) e as consequências (positivas e negativas) verificadas; (c) registrar acontecimentos e pessoas diante das quais ocorreu ou não ocorreu o autocontrole. Pode-se também incluir o treino de relaxar em situações que induzem reações emocionais "negativas", cultivar emoções "positivas" em relação a determinadas pessoas etc.

O treino de autocontrole deve ser iniciado com tarefas de casa mais fáceis para o cliente e eventualmente com treino no contexto da sessão. Por exemplo: para começar, o terapeuta pode criar uma situação em que o cliente deve ouvir críticas injustas e não dizer nada, ou deixar de emitir opinião sobre um assunto de seu interesse em uma conversação. Nessas situações, pode-se também treinar a habilidade de ouvir atentivamente, olhar, manter contato visual, esperando o interlocutor encerrar a fala para, somente então, fazer perguntas ou comentários pertinentes.

Automonitoria e dimensões instrumental e ética da Competência Social

A automonitoria implica a escolha entre alternativas de desempenho. Por isso ela pode ser relacionada tanto à dimensão instrumental como à dimensão ética da Competência Social. Em termos instrumentais, é relativamente simples entender como a observação, a previsão de consequências imediatas para o indivíduo e a regulação do próprio comportamento contribuem para o indivíduo obter resultados desejáveis. A questão é mais complexa no caso da dimensão ética, uma vez que envolve escolhas baseadas na previsão de resultados de médio e longo prazo para si, para o outro, para a relação e para o grupo social.

Alguns estudos têm focalizado a relação entre o campo das Habilidades Sociais e a dimensão ética da Competência Social sob as abordagens que mais têm contribuído na sua consolidação: a Análise do Comportamento (Bolsoni-Silva & Carrara, 2010; Z. Del Prette & Del Prette, 2010; Gresham, 2009) e a Teoria Social-Cognitiva de Bandura (Oláz, Medrano, & Cabanillas, 2011; Rios-Saldaña, Del Prette & Del Prette, 2002).

Na abordagem da Análise do Comportamento, as escolhas que uma pessoa faz e as decisões que toma – e que afetam as demais – são referidas a um processo de autogerenciamento ético (Skinner, 1972). Esse processo implica comportar-se com base em consequências de médio e longo prazo que podem ser previstas. Requer, portanto, aprendizagem de estimar consequências como base para decisões coerentes com a dimensão ética da Competência Social. Alguns desafios desse processo são pontuados por Dittrich (2010, p. 53):

Talvez a maior tragédia do mundo atual seja a baixa capacidade que temos, os seres humanos, de prever as consequências do que fazemos para além de nosso futuro individual e imediato. O surgimento das qualidades que chamamos genericamente de consideração e respeito pelo outro depende em grande medida da visibilidade que temos sobre as consequências de nossos atos não apenas para nós, mas para outras pessoas. Nessa medida, a análise de consequências pode ser, inclusive, um recurso educativo.

A Teoria Social-cognitiva (Bandura, 1986; 2008) também utiliza o conceito de automonitoria. Nela, verifica-se uma ênfase em conceber o indivíduo como "agência", dotado de um autossistema de processos que exercem função autorreguladora sobre seus pensamentos, sentimentos e comportamentos (Polydoro & Azzi, 2008). A autorregulação é caracterizada por processos que podem ser relacionados aos componentes da automonitoria. Em relação às ações morais, a autorregulação ativaria seletivamente mecanismos inibitórios de autocensura, restringindo condutas socialmente reprováveis, bem como mecanismos de desengajamento moral que gerariam justificativas para a adesão a condutas reprováveis pela cultura (Azzi, 2011; Bandura, 2008). Segundo Bandura (2008), qualquer pessoa está sujeita ao processo de desengajamento moral, que pode ser minimizado pelo desenvolvimento e compromisso com padrões éticos.

Conhecimento e autoconhecimento

Para um desempenho socialmente competente é imprescindível dispor de conhecimentos (informações) sobre: (a) si mesmo, (b) o outro, (c) o contexto em que as tarefas interpessoais ocorrem. O primeiro pode ser referido como autoconhecimento. Os outros dois constituem o que está sendo denominado aqui de conhecimento sobre o ambiente. Esses conhecimentos podem ser veiculados pela linguagem (relato, explicações, descrições, formulação de hipóteses, conceitos e teorias) e/ou inferidos a partir da descrição das tarefas interpessoais, suas demandas e seus contextos.

Conhecimento sobre o ambiente

Enquanto requisito da Competência Social, o termo "conhecimento" está sendo tomado em seu sentido genérico de acesso a informações sobre alguns aspectos relevantes do ambiente social, tais como: demandas próprias da situação, elementos da subcultura, como regras e contingências, comportamentos convergentes e divergentes das normas culturais etc. Entende-se que a probabilidade de contemplar os critérios da Competência Social aumenta com o conhecimento sobre alguns aspectos do ambiente social que são relevantes para um desempenho bem-sucedido. Esse conhecimento, derivado de informações prévias ou de observação imediata e acurada, permite descrever, explicar e, em alguma medida, prever os comportamentos das pessoas.

O conhecimento relevante para um desempenho socialmente competente pode ser resumido em pelos menos dois conjuntos de informações:

- Sobre a cultura: as normas e regras que regulam e definem os comportamentos sociais esperados, valorizados, aceitos ou reprovados para diferentes situações e tarefas interpessoais.
- Sobre o(s) interlocutor(es): comportamentos sociais prováveis, objetivos, sentimentos, valores de convivência.

Muitos deficits de Habilidades Sociais e falhas na Competência Social podem ocorrer em função do desconhecimento dos comportamentos tolerados, valorizados e reprovados, ou seja, a pessoa não sabe o que deve fazer nem as possíveis consequências de diferentes alternativas de desempenho.

Autoconhecimento

O autoconhecimento pode ser concebido como a capacidade de observar/descrever os próprios comportamentos e de explicá-los em termos de possíveis variáveis associadas (Skinner, 1974). Esse autoconhecimento não inclui apenas o que é publicamente acessível aos demais, mas também o que é privado, encoberto, pouco ou nada acessível aos demais. É o caso de crenças, conhecimentos, sentimentos, expectativas, autorregras etc. que, na abordagem sociocognitivista de Bandura (1986; 2008), fazem parte do "autossistema" do indivíduo, entendido enquanto agência.

O autoconhecimento é um requisito importante para a automonitoria enquanto processo que ocorre durante um desempenho interpessoal. Por

> O autoconhecimento está relacionado à automonitoria, mas não se confunde com ela.

isso, esses dois processos podem ser promovidos de forma articulada. É amplamente reconhecido na Psicologia que o autoconhecimento tem origem social, mais particularmente nas interações sociais. Ele vai sendo construído e ampliado à medida que o indivíduo observa e descreve seus comportamentos, pensamentos e sentimentos, as condições em que ocorrem e as consequências que geram. Ele inclui também as informações sobre recursos pessoais (por exemplo, capacidade de autocontrole, de observar, de se expressar etc.), externos (por exemplo, percepção de apoio familiar, da comunidade etc.) e dificuldades pessoais (deficits, ansiedade, falha em discriminação etc.).

Por que é tão importante o autoconhecimento na perspectiva da Competência Social? Pode-se afirmar que ele é a base para previsão e controle dos próprios comportamentos em interações no mundo social. Quando o indivíduo

O **autoconhecimento pode facilitar escolhas**

é capaz de descrever e explicar seus próprios comportamentos, em termos das contingências a eles associadas (Skinner, 1974), estabelece condições para prevê-los e regulá-los. Esse autoconhecimento pode facilitar a escolha de cursos de ação em uma interação social. Por isso, os programas de THS devem prover condições para suprir gradualmente as falhas de autoconhecimento.

Ética e valores de convivência

Os conceitos de ética e de valores de convivência são complexos e remetem necessariamente a diferentes abordagens filosóficas e psicológicas. Não é objetivo realizar aqui um aprofundamento sobre os aspectos teóricos desses termos, mas tomá-los em seu sentido restrito e relacioná-los aos critérios de Competência Social.

Em qualquer sociedade, provavelmente sem exceção, os indivíduos são orientados quanto a normas e regras sobre padrões de conduta tolerados, aprovados ou valorizados para diferentes situações e tarefas interpessoais. Uma das mais antigas prescrições de conduta valorizada até os dias atuais é a chamada *Regra Áurea,* já antes referida.

Não obstante as diferenças entre os grupos e subculturas, é importante reconhecer valores de convivência em associação com noções de direitos humanos, justiça, equidade, liberdade, dignidade, compaixão etc. Esses valores de convivência estão implícitos na dimensão ética de Competência Social e, por isso, incluídos em programas de THS.

O que são os valores de convivência?

Como já referido, o caráter avaliativo da Competência Social não se restringe a somente um dos polos da interação e nem somente a díades envolvidas em determinada tarefa social, pois inclui também o grupo social. A avaliação aplicada a um único indivíduo da interação limita o constructo da Competência Social a ganhos imediatos e somente para este indivíduo, em termos de consecução dos objetivos e autoestima. Nesse sentido limitado, desempenhos de coerção, sedução, engano etc. poderiam ser considerados socialmente competentes. Como já visto, esses desempenhos não podem ser assim considerados, por não atenderem à dimensão ética da Competência Social. Essa compreensão limitada de Competência Social, bem como o foco apenas em Habilidades Sociais poderiam estar na base de dados contraditórios produzidos por estudos sobre relações interpessoais problemáticas.

Os critérios de funcionalidade propostos por Linehan (1984) já ampliavam o foco do indivíduo para os dois participantes da interação: além de atingir objetivos imediatos e de manter/melhorar a autoestima, o desempenho deveria contribuir para manter ou melhorar a qualidade da relação, o que inclui necessariamente os dois polos da interação. Os demais critérios propostos neste manual, especialmente os da dimensão ética, reforçam a perspectiva do outro e do grupo social. No caso do *bullying*, a dimensão ética implica considerar também os critérios de equilíbrio de poder e de respeito aos direitos interpessoais nas relações (cf. Z. Del Prette & Del Prette, 1999; A. Del Prette & Del Prette, 2001).

Pode-se, portanto, entender os valores de convivência como resultados ou consequências de padrões comportamentais que combinam o que é bom para a pessoa, para o outro e para a cultura (Dittrich & Abib, 2004). Nessas condições, programas de THS têm sido incluídos entre as práticas culturais consagradas como "bens da cultura", aplicadas ao comportamento social (Carrara, Silva & Verdu, 2006).

Quais são os valores de convivência pertinentes à Competência Social?

Essa questão é difícil de responder, especialmente em termos normativos gerais, uma vez que cada agrupamento social constrói valores específicos que norteiam determinados padrões de comportamentos sociais. Entende-se que, neste início do século XXI, ainda há muito o que se discutir sobre os valores de convivência – em particular aqueles relacionados à dimensão ética da Competência Social. Mesmo assim, a tarefa de identificar valores de convivência assumidos nos processos terapêuticos em geral – e nos programas de THS em particular – deve fazer parte da atuação profissional socialmente relevante.

O princípio do equilíbrio de poder coloca em foco o valor da reciprocidade de trocas, com ênfase na premissa "ganha-ganha" entre as pessoas em interação. Na perspectiva aqui apresentada, entende-se que esse equilíbrio é dinâmico ao longo do tempo, incluindo defasagens pontuais e temporárias, porém, com saldo relativamente equitativo, em médio e longo prazo, de benefícios e custos entre as partes que interagem.

O princípio dos direitos humanos supõe garantias presentes na constituição de um país, normatizando valores de dignidade, igualdade, liberdade de expressão etc. Qualquer comportamen-

to que fere essas garantias institucionais pode ser objeto de ação jurídica. Considerando os critérios da Competência Social, esse princípio estende e amplia a noção de direitos estabelecida na Declaração Universal dos Direitos Humanos (da qual o Brasil é um dos signatários) para o contexto micro das relações interpessoais. Trata-se de valores de convivência decorrentes do respeito à vida, à dignidade, à livre-expressão, explicitamente presentes no discurso e nas normas éticas da maioria das sociedades ocidentais.

O respeito e a adesão a direitos não podem, portanto, ser esquecidos ou negligenciados nas relações interpessoais. Pode-se destacar entre eles:

- Todas as pessoas nascem livres e iguais em dignidade e em direitos e devem ser tratadas e tratar aos demais com espírito de fraternidade.
- Todos têm direito à liberdade de opinião e expressão.
- Todos têm direito à liberdade de pensamento, consciência e religião, podendo mudar de crenças e divulgá-las desde que respeitados os mesmos direitos aos demais.
- Pessoas em desvantagem socioeconômica, física e/ou mental, seja qual for a origem da desvantagem, devem ser amparadas pela família e/ou pelo Estado, de modo a terem oportunidade para usufruir tanto quanto possível de uma vida digna.

Em resumo, os dois princípios gerais destacados – direitos humanos e equilíbrio de poder – trazem para o contexto de programas de THS a perspectiva do interlocutor e do grupo social, que não estão sob a intervenção direta. Tais princípios devem nortear, em primeiro lugar, a atuação do terapeuta ou facilitador[2] e, gradativamente, as relações entre os participantes, e destes com as demais pessoas. Entende-se que esses dois princípios não podem ser considerados separadamente, nem na elaboração de programas de THS (objetivos e procedimentos) nem na análise de seus resultados. Em outras palavras, um programa de THS não deveria produzir meramente uma "inversão de poder" entre controladores e controlados, agentes punitivos e vítimas, mas sim, dentro do possível, uma maximização do equilíbrio das relações de poder e de trocas mais justas entre as pessoas. Cabe considerar, ainda, que as relações de coerção ou de dano, conforme amplamente reconhecido na Psicologia, têm alta probabilidade de gerar contracontrole, esquiva e diversos problemas psicológicos. Por outro lado, as aquisições que favorecem o grupo estabelecem um contexto mais favorável para manutenção e ampliação das aquisições dos programas de THS.

---

2. O termo "facilitador" está sendo utilizado para designar aquele que conduz um programa de Treinamento de Habilidades Sociais, podendo ser professor ou outro profissional da área de Saúde ou Educação.

3.

TAREFAS INTERPESSOAIS E PRÁTICAS CULTURAIS

*Não considere nenhuma prática imutável. Mude
e esteja pronto a mudar novamente. Não aceite
verdades eternas. Experimente!*

B. F. Skinner

Habilidades Sociais e Competência Social não são traços intrínsecos ao indivíduo, mas conceitos que remetem, respectivamente, a classes e subclasses de Habilidades Sociais e à avaliação do desempenho interpessoal segundo alguns critérios. A avaliação é realizada por meio de observação e/ou descrição dos desempenhos, considerando características do ambiente imediato, da situação e da cultura. Tal desempenho deve ser, portanto, contextualizado para uma descrição mais pertinente e uma avaliação mais precisa. Essa contextualização remete a outros conceitos importantes e relacionados entre si, destacando-se aqui os de tarefa social, papéis sociais e práticas culturais. Por outro lado, a contextualização do desempenho em tarefas e papéis sociais é indispensável para identificar deficits relevantes que deveriam nortear programas de intervenção.

O conceito de tarefa interpessoal

Conforme McFall (1982), tarefa social é um segmento de interação identificável em uma cultura em resposta à pergunta sobre pessoas interagindo: *O que eles/as estão fazendo?* Toda interação social pode, portanto, ser entendida como uma sequência de trocas comportamentais, na qual os envolvidos desempenham uma ou mais tarefas sociais.

O conceito de tarefa interpessoal adotado neste livro é semelhante ao de McFall (1982) para tarefa social. Entretanto, a substituição do termo "social" por "interpessoal" se justifica porque a avaliação de Competência Social incide não apenas sobre o desempenho de um dos interlocutores, mas sobre o das duas ou mais pessoas em interação.

A noção de tarefa interpessoal facilita identificar as demandas para a descrição do desempenho (se composto ou não por Habilidades Sociais), bem como os resultados desse desempenho (se caracterizam ou não Competência Social). McFall (1982) considera que as tarefas sociais[3] podem ser hierarquicamente organizadas, ou seja, uma tarefa mais ampla pode ser decomposta em tarefas menores. Por exemplo: a tarefa de *encontrar um companheiro afetivo* pode ser dividida em unidades menores como: *fazer contatos iniciais, marcar encontros, incentivar o interesse do outro, aumentar a intimidade* etc.

No sentido inverso, de composição de uma atividade, quando por exemplo um terapeuta pergunta ao seu cliente como foi a interação com o filho, essa pergunta faz parte da tarefa interpessoal profissional do terapeuta de *fazer sondagem* em situação de atendimento. E essa sondagem pode ser um componente das tarefas interpessoais de *atendimento clínico*.

---

3. Também referidas como tarefas interpessoais, conforme justificado.

No cotidiano, cada pessoa se depara com uma diversidade de tarefas interpessoais. Cada uma delas pode requerer diferentes classes de Habilidades Sociais e diferentes combinações dessas classes. Nesse sentido, a noção de tarefa interpessoal tem relação com a de Habilidades Sociais, mas não se confunde com ela. Uma tarefa interpessoal refere-se a uma sequência interativa entre pessoas, identificável em uma situação e cultura em termos de começo, meio e fim. A noção de Habilidades Sociais é descritiva dos desempenhos, referindo-se aos comportamentos de cada indivíduo que podem ser classificados como tais, conforme definido no capítulo 1.

A noção de tarefa interpessoal é indispensável para a análise e identificação dos deficits e recursos do cliente em Habilidades Sociais e nos demais requisitos da Competência Social. Os deficits e recursos relevantes dependem das tarefas interpessoais relevantes do cotidiano do cliente, associadas aos papéis que este assume, e cujo exercício pode requerer Habilidades Sociais específicas, conforme detalhado a seguir.

Habilidades Sociais e papéis sociais

As Habilidades Sociais descritas no Portfólio (capítulo 1) podem ser organizadas em função dos papéis sociais que as pessoas assumem ao longo da vida. Papéis sociais são culturalmente determinados e envolvem padrões de comportamentos esperados pelo grupo social (ou autoatribuídos) no exercício de determinadas funções em contextos e atividades específicas. Alguns papéis sociais são complementares (por exemplo, esposo--esposa, pai-filho, professor-aluno etc.) e, portanto, referem-se a padrões de relacionamento entre os pares envolvidos.

O desempenho competente em determinados papéis sociais pode ser fundamental para a realização e o bem-estar dos envolvidos nas tarefas interpessoais. Dificuldades ou busca de aperfeiçoamento no exercício desses papéis implicam, geralmente, identificar classes e subclasses de Habilidades Sociais que os caracterizam ou que possam melhor qualificá-los. Na maioria das sociedades, tanto nas relações entre países como nas interações entre grupos e indivíduos, as tarefas interpessoais são definidas nessa perspectiva. Considerando as pesquisas e elaborações conceituais e empíricas já conduzidas em nosso país[4] pode-se arrolar um conjunto de Habilidades Sociais (HS) pertinentes a diversos papéis:

- **HS Conjugais.** Expressar sentimentos positivos e empatia (compreensão, sentimentos, desejos e opiniões positivas, elogiar, agradecer); expressar assertividade (afirmar preferências, sentimentos e opiniões, defender o respeito à própria individualidade, fazer pedidos, cobrar acordos, pedir esclarecimento, discordar, pedir mudança de comportamento); manter autocontrole diante de situações potencialmente estressantes (como críticas e chistes feitos pelo cônjuge, estados emocionais alterados e problemas diversos); perceber alterações ou dificuldades emocionais do cônjuge, acalmá-lo e acalmar-se.

- **HS Educativas (pais).** Expressar carinho com os filhos, observar e identificar sentimentos e comportamentos dos filhos, dialogar, apresentar e/ou sugerir atividades, estabelecer e liberar consequências, propor problemas e jogos, encorajar, orientar tarefas escolares, incentivar leitura e reflexões, avaliar/questionar desempenho, mediar interação dos filhos com outras pessoas, incentivar *feedback* e gentilezas do filho em relação a outros, discutir valores, normas e critérios de convivência, incentivar a autonomia, a reciprocidade e empatia dos filhos.

- **HS Acadêmicas (estudante).** Prestar atenção à fala do professor; fazer e responder perguntas; ouvir opinião de colegas; expor opinião; pedir ajuda ao professor ou colegas; cooperar; atender pedido de colegas; coordenar gru-

---

4. O leitor interessado poderá encontrar publicações sobre cada um desses itens em sites de busca e, em particular, em www.rihs.ufscar.br

po de estudo; dar sugestões sobre assuntos de aula; pedir/emprestar material, organizar/participar de atividades extraclasse (esportes, visitas a museu, teatro etc.).

- **HS Educativas (professores)**. Planejar, estruturar e apresentar atividade interativa (expor objetivos e metas para atividades, selecionar e disponibilizar materiais, expor conteúdos); conduzir atividade interativa (expor, explicar e avaliar de forma dialogada); avaliar atividade e desempenhos específicos (pedir e dar *feedback*, individualmente e à classe, aprovar, elogiar comportamentos, corrigir de forma não punitiva, discordar, corrigir de forma construtiva); cultivar afetividade e participação dos alunos, demonstrar apoio, bom humor, atender a pedidos para conversa em particular, incentivar e mediar a participação de outros (pais, por exemplo) nas atividades com os alunos.

- **HS Profissionais**. Envolve várias das classes anteriores, mas também outras mais pontuais, tais como: expor planos e política organizacional, organizar e conduzir reuniões, sugerir projetos, atribuir e cobrar tarefas, fazer entrevistas, organizar e apresentar resultados, ouvir sugestões, lidar com queixas, orientar clientes, definir problema, orientar colegas e funcionários, encaminhar solução de problemas, estabelecer e comunicar regras, atender/recusar pedidos.

- **HS de cuidadores (de idosos, de doentes)**. Envolve várias das Habilidades Sociais educativas já referidas, mas também outras, de manejo de comportamentos socialmente inapropriados ou autolesivos, de resistência à medicação, de autocontrole de estresse, de apoio emocional etc.

Essa lista não esgota as possibilidades de papéis sociais que requerem Habilidades Sociais específicas. O repertório de Habilidades Sociais pode ser avaliado com maior ou menor detalhamento, a depender do foco da queixa do cliente e dos objetivos da intervenção. Estudos sobre Habilidades Sociais profissionais, por exemplo, podem inclusive requerer subdivisões de funções profissionais, como o de diretores, gerentes e funcionários de diferentes atividades básicas.

Considerando os papéis sociais e respectivas Habilidades Sociais neles requeridas, contextualizadas em tarefas interpessoais específicas, pode-se efetuar uma análise mais pertinente dos possíveis deficits e recursos do cliente. E essa análise é indispensável para o estabelecimento de objetivos de intervenção socialmente relevantes.

Deficits de Habilidades Sociais

Desde a mais tenra idade, a família se esforça para ensinar a criança a interagir com os demais. Nas tarefas interpessoais com que se deparam, as pessoas também aprendem e aperfeiçoam, especialmente por instruções, modelos e consequências, novas Habilidades Sociais e requisitos da Competência Social. No entanto, quando o ambiente não é favorável, podem ocorrer deficits em habilidades sociais e aprendizagem de comportamentos concorrentes, que podem requerer atendimento profissional.

O uso do Portfólio de Habilidades Sociais permite o detalhamento das classes em subclasses de Habilidades Sociais, e é especialmente importante em programas de Treinamento de Habilidades Sociais (THS), pois facilita identificar tanto os recursos do cliente (o que ele tem) como seus deficits ou dificuldades em Habilidades Sociais e demais requisitos da Competência Social.

Em uma intervenção, a noção de deficit deve estar vinculada a tarefas interpessoais relevantes na vida do cliente. Uma pessoa pode carecer de habilidades para conduzir reuniões formais, porém, se essa tarefa não faz parte de suas atribuições frequentes, as habilidades requeridas para ela não deveriam ser consideradas como deficitárias em seu repertório.

Em uma análise mais refinada, a identificação dos tipos de deficits de Habilidades Sociais permite escolher os procedimentos mais indicados para a intervenção. Nesse sentido, podem ser caracterizados três tipos de deficits (Gresham, 2009; Z. Del Prette & Del Prette, 2005a, 2005b) e respectivos procedimentos mais indicados:

- **Deficits de aquisição**. Ocorrem quando a habilidade não existe no repertório e precisa ser aprendida, requerendo, portanto, procedimentos de ensino (modelagem, ensaio comportamental e também arranjo ambiental para que seja valorizada no ambiente).

- **Deficits de desempenho**. Ocorrem quando a habilidade está presente no repertório, mas é desempenhada com baixa frequência ou sem a discriminação adequada de situação, interlocutor ou ocasião de demanda. Esse caso requer treino de discriminação das demandas e rearranjo de fatores motivacionais para que as tentativas obtenham consequências positivas.

- **Deficit de fluência**. É caracterizado por falhas na topografia e dificuldade no desempenho que comprometem sua efetividade, requerendo procedimentos como *feedback*, modelação e instrução para o aperfeiçoamento da habilidade.

Competência Social e práticas culturais

Cada pessoa nasce em um contexto cultural dado, com práticas culturais variadas, desde as formas de cuidar dos filhos até de se alimentar, de produzir recursos, de se divertir etc. As práticas culturais envolvem tarefas variadas e, em sua maioria, tarefas interpessoais pertinentes aos papéis geralmente complementares assumidos pelos indivíduos. E essas tarefas demandam habilidades também específicas, associadas a esses diferentes papéis. Em outras palavras, uma mesma pessoa pode estar envolvida em tarefas interpessoais ligadas a papéis sobrepostos que demandam Habilidades Sociais nem sempre sobrepostas, como, por exemplo, as parentais, educativas e conjugais.

As práticas culturais são "transmitidas" aos membros e reproduzidas de geração a geração, até serem substituídas por outras quando deixam de ser funcionais para a cultura ou para grupos com maior poder que delas se beneficiam. Assim, algumas práticas, mesmo não sendo benéficas, são mantidas por muitas gerações. Uma forma de entender essa situação é dada por Glenn (2005), ao diferenciar os processos culturais tecnológicos (baseados em contingências que produzem resultados desejáveis para o grupo, favoráveis à sobrevivência e à qualidade de vida) dos processos cerimoniais (mantidos por aqueles que detêm poder e autoridade, independentemente dos resultados para os demais).

Não obstante a possível conotação negativa do termo "tecnológico", o que está sendo chamado de processos culturais tecnológicos, reconhecidamente utópicos para a maioria das sociedades atuais, é coerente com a dimensão ética de competência social, quando se consideram programas de THS orientados por esse constructo, conduzidos em contextos coletivos como família, escola, setores específicos de oraganizações etc. Trata-se, em última instância, de promover comportamentos individuais e relações interpessoais que beneficiem não somente o indivíduo, mas também o grupo, reconhecendo a necessária interdependência coletiva como base para o bem-estar, a paz social e a qualidade de vida.

A influência da cultura sobre as Habilidades Sociais e a Competência Social já está implícita na definição desses dois conceitos. No entanto, é também possível conceber que mudanças nos padrões de convivência em nichos sociais menores (relações familiares, de trabalho, educativas etc.), quando alcançam visibilidade quanto a seu impacto instrumental e ético, poderiam, sob determinadas condições, se generalizar e eventualmente levar a mudanças em práticas culturais.

Entende-se que as dimensões instrumental e ética, inerentes aos critérios de Competência Social, apontam efetivamente para novos padrões de relacionamento interpessoal (Del Prette & Del Prette, 2001). No entanto, também se reconhece que ainda não é possível dimensionar o alcance e os efeitos da contribuição do campo das Habilidades Sociais para a cultura, uma vez que as intervenções ainda são razoavelmente restritas, carecendo de disseminação e de programas universais preventivos (Elliott & Gresham, 2007; Dowd & Tierney, 2005). Entretanto, as evidências de efetividade de programas de Habilidades Sociais sobre a redução de agressividade e conflito e a ampliação de relacionamentos mais harmoniosos (Goldstein, Sprafkin, Gershaw & Klein, 1980) têm gerado propostas de projetos mais amplos de desenvolvimento socioemocional já implantados em outros países e, mais recentemente, começando a ser implantados também no Brasil.

A potencialidade de programas de THS orientados por padrões éticos começa a ser reconhecida por vários estudiosos e pesquisadores. Carrara, Silva e Verdu (2006; 2009) situam os programas de Habilidades Sociais entre as práticas compatíveis com uma perspectiva ética aplicada ao comportamento social e benéfica à cultura.

4.

PROGRAMAS E MÉTODO VIVENCIAL

É possível promover um nível de sensibilidade e competência maior que o usual: isso pode fazer os encontros e relações sociais mais agradáveis, efetivos e criativos.

Michael Argyle

Além de sua importância potencial no delineamento de novas práticas culturais, a necessidade de promover Habilidades Sociais e Competência Social – seja por procedimentos educativos dos pais e da escola, seja por meio de programas de THS (terapêuticos, preventivos e profissionais) – pode ser justificada sob duas vertentes, ambas com base nas pesquisas da área. A primeira refere-se aos correlatos positivos associados a um bom repertório de Habilidades Sociais. A segunda, pela correlação entre deficits de Habilidades Sociais e diferentes transtornos ou problemas psicológicos, juntamente com os desfechos positivos desses programas. Essas duas vertentes são apresentadas a seguir, ao lado de diferentes tipos de programas de THS em formato grupal ou individual, além da diversidade de clientelas neles atendida. Na segunda parte deste capítulo, são apresentadas as bases conceituais do Método Vivencial e os diferentes tipos de vivência.

Correlatos positivos do bom repertório de Habilidades Sociais

A produção científica do campo das Habilidades Sociais vem acumulando evidências de resultados positivos e desejáveis associados a um bom repertório de Habilidades Sociais, algumas destacando o papel protetor desse repertório para evitar transtornos psicológicos e problemas de desenvolvimento. A Figura 3.1 resume as principais condições positivas comumente encontradas nos estudos da área.

Figura 4.1. Correlatos de um repertório elaborado de Habilidades Sociais.

A Figura 4.1 mostra que um bom repertório de Habilidades Sociais e de Competência Social se relaciona a vários indicadores de bem-estar, coerentes com um conceito mais amplo e atual de saúde (Brasil, 2010) e, em particular, de saúde mental. Sob esse conceito, a avaliação do bem-estar é um indicador importante a ser considerado (Abreu, Barletta & Murta, 2015) e vai além de fatores como alimentação, moradia, acesso à escola e segurança. Ele também deve incluir a qualidade da convivência social e seus correlatos, como os apresentados na Figura 4.1. Justifica-se, portanto, o investimento na promoção de Habilidades Sociais e Competência Social da população em geral como um coadjuvante de outras estratégias de promoção de saúde, tal como vem sendo defendido em políticas governamentais de vários países, em especial para a infância, a adolescência e a velhice.

Problemas associados a deficits em Habilidades Sociais

Os deficits de Habilidades Sociais estão, em geral, associados a problemas e transtornos psicológicos específicos, tais como depressão, ansiedade, isolamento social, problemas de comportamento, dificuldades de aprendizagem, consumo de substâncias psicoativas etc. (A. Del Prette & Del Prette, 2001; 2011; Caballo, 2003). Por isso, são reconhecidos como fatores de risco para o funcionamento psicossocial.

Del Prette, Falcone e Murta (2013) verificaram que, nos transtornos de personalidade, os sintomas registrados no DSM-IV (APA, 2000) incluem referências diretas e indiretas a padrões de deficits de Habilidades Sociais. Resumindo os resultados encontrados nessa análise identificou-se que: (a) nos transtornos do Grupo A (personalidade paranoide, esquizoide e esquizotípica) prevalecem os deficits em habilidades de autocontrole da raiva e agressividade (somente nos paranoicos), empatia, conversação, expressão de afeto positivo e expressividade em geral; (b) nos transtornos do Grupo B (personalidade antissocial, limítrofe, histriônica e narcisista), o padrão interpessoal tipicamente não atende aos critérios da dimensão ética da Competência Social (valorização e respeito aos outros), além de evidências da falta de emotividade autêntica e de deficits em

Habilidades Sociais assertivas e empáticas; (c) nos transtornos do grupo C (personalidade dependente, de esquiva e obsessivo-compulsiva) prevalecem os deficits de assertividade e, em cada um desses transtornos, associação com deficits mais diversificados de Habilidades Sociais, incluindo de empatia, resolução de problemas e expressividade emocional.

Os problemas de comportamento que concorrem com as Habilidades Sociais estão associados a deficits de Habilidades Sociais. Comportamentos como mutismo, alheamento, exigências agressivas, recusa de alimentos são, de forma intermitente, consequenciados por meio de conselhos, exortações e mesmo advertências e punições. Esses procedimentos, na maioria das vezes, funcionam, fortalecendo tais comportamentos concorrentes.

Programas de Treinamento de Habilidades Sociais (THS)

Qualquer programa de intervenção terapêutica ou educativa pode ser definido como o arranjo de condições estruturadas para a consecução de determinados objetivos previamente estabelecidos. Essa noção relaciona dois componentes indispensáveis a um programa: condições e objetivos. As "condições" referem-se ao conjunto de técnicas, procedimentos e recursos utilizados; os "objetivos" são os resultados esperados e desejáveis até o final do programa. Esses dois componentes estão também na base da definição dos programas de Treinamento de Habilidades Sociais (THS) orientados para a Competência Social.

> **Programa de Treinamento de Habilidades Sociais orientado para a Competência Social** é um conjunto de atividades planejadas que estrutura processos de aprendizagem, mediados e conduzidos por um terapeuta ou facilitador, visando não somente a aquisição e/ou aperfeiçoamento das Habilidades Sociais, mas também dos demais requisitos da Competência Social.

A relevância dos objetivos de um programa de THS depende, em última instância, do impacto que possam ter sobre as relações interpessoais e a qualidade de vida do cliente. Um programa de THS orientado para a Competência Social deve ir além dos quatro primeiros objetivos abaixo (usualmente relacionados na literatura) e incluir os demais:

- Ampliar a frequência e a proficiência de Habilidades Sociais já aprendidas, mas deficitárias.
- Aprender Habilidades Sociais novas e significativas.
- Extinguir ou reduzir comportamentos concorrentes com tais habilidades.
- Refinar a discriminação das tarefas interpessoais presentes no ambiente social.
- Ampliar a variabilidade de Habilidades Sociais.
- Desenvolver valores de convivência na perspectiva do respeito aos direitos humanos nas interações com os demais.
- Aprimorar a automonitoria e o autoconhecimento associados ao desempenho social.

Aplicações e clientelas de programas de THS

Quando os processos de aprendizagem não ocorrem "naturalmente", ou ocorrem para comportamentos problemáticos concorrentes, surgem os deficits em Habilidades Sociais cuja superação, quase sempre, requer atendimento especializado. Esse atendimento usualmente é feito por meio de condições estruturadas de aprendizagem denominadas "programas".

Os programas de Treinamento de Habilidades Sociais (THS) podem ser conduzidos em formato grupal ou individual. Eles podem ser caracterizados como preventivos, terapêuticos e profissionais e aplicados a diversas faixas etárias. No contexto educacional, destaca-se o THS preventivo, dirigido às crianças e adolescentes, visando a redução de problemas como indisciplina, agressividade, *bullying*, preconceito, drogadição etc.

No contexto clínico, o THS terapêutico, em grupo ou individualmente, aplica-se a diferentes problemas em todas as faixas etárias. No âmbito profissional, o THS é indicado para atender desde a necessidade de preparação de jovens na transição para o mercado de trabalho até, posteriormente, a melhora nas condições interpessoais relacionadas à produtividade, à busca de novas oportunidades e à saúde na aposentadoria.

A promoção de Habilidades Sociais tem sido amplamente utilizada no contexto escolar, na estimulação do desenvolvimento socioemocional, na prevenção de problemas de comportamento, como coadjuvante do rendimento acadêmico e também como mecanismo de inclusão de crianças com deficiências sensoriais, motoras e mentais. Nesse contexto, geralmente com a participação dos pais e professores, os programas de THS podem ser aplicados em pelo menos três níveis (Gresham, 2009) relacionados a diferentes graus de atenção psicossocial:

- **Universais**: atendimentos destinados a todas as crianças de uma sala de aula ou à escola toda, independentemente de problemas ou fatores de risco identificados.

- **Seletivos**: atendimentos destinados a pequenos grupos em situação de risco ou que não se beneficiaram de programas universais.

- **Indicados**: atendimentos em formato individualizado destinados a crianças com problemas, como na terapia, precedida por avaliação funcional detalhada da queixa e demais comprometimentos associados.

Esse mesmo esquema pode ser utilizado com outros estratos populacionais como, por exemplo, jovens em conflito com a lei, idosos em comunidade especial, mulheres vítimas de maus-tratos etc. Os programas indicados se caracterizam como terapêuticos e têm como base uma avaliação multimodal e funcional que demanda mais tempo, incluindo necessariamente a participação dos pais e outros significantes.

Os programas de THS para problemas ou transtornos psicológicos podem ser planejados e conduzidos: (a) como intervenção principal do atendimento terapêutico e (b) como intervenção complementar a um atendimento em que o THS é indicado. Na Tabela 4.1 são listados os principais problemas e transtornos de cada grupo para os quais o THS é indicado.

Tabela 4.1. Problemas e transtornos psicológicos para os quais o THS é indicado como intervenção principal ou complementar.

INTERVENÇÃO PRINCIPAL	INTERVENÇÃO COMPLEMENTAR
✓ Timidez/isolamento social	✓ Dificuldades de aprendizagem
✓ Ansiedade social	✓ TDAH e problemas de comportamento
✓ Fobia social	✓ Esquizofrenia e espectro das psicoses
✓ Agressividade	✓ DST e AIDS
✓ Delinquência	✓ TEA (Autismo)
✓ Depressão unipolar	✓ Deficiências sensoriais, mentais e físicas
✓ Problemas conjugais	✓ Dependência química
✓ Problemas familiares	✓ Depressão persistente

Os problemas e transtornos para os quais o THS é indicado como intervenção principal são aqueles que apresentam maior comprometimento nas relações interpessoais, associados a deficits de Habilidades Sociais e/ou a comportamentos concorrentes. Tais problemas têm sido encaminhados a diferentes profissionais da área de saúde, como psicoterapeutas, psiquiatras, psicopedagogos etc. Uma análise dos dois grupos de aplicação do THS coloca em evidência o alcance desse tipo de intervenção, além da importância da formação do psicólogo e de demais profissionais de saúde e educação nessa área.

Os problemas e transtornos para os quais o THS é indicado como uma intervenção complementar são aqueles em que os deficits de Habilidades Sociais constituem um dos fatores envolvidos, sendo, portanto, incluído o THS em um atendimento multimodal. Na maior parte desses transtornos, não se dispõe de evidências conclusivas sobre o papel dos deficits em Habilidades Sociais (se constituem causa ou consequência do transtorno). Todavia, há evidência suficiente (Del Prette, Del Prette, Gresham & Vance, 2012; Monti, Kadden, Rohsenow, Cooney & Abrams, 2005; Ramirez-Basco & Thase, 2003) de que um bom repertório de Habilidades Sociais funciona como fator protetor do desenvolvimento saudável, da saúde mental e de respostas mais favoráveis ao tratamento.

Entende-se que a formação profissional nessa área deve incluir a capacitação pelo menos nos seguintes quesitos:

- Compreensão sobre as bases conceituais do campo das Habilidades Sociais.
- Uso de recursos, técnicas e procedimentos de avaliação nessa área.
- Experiência na condução de grupos de THS e/ou de programas individuais de THS, com uso de recursos, técnicas e procedimentos de intervenções terapêuticas.
- Aplicação de instrumentos e materiais necessários para a avaliação e interpretação dos resultados com eles obtidos.

Dada a amplitude de possibilidades de aplicação de programas de THS, essa formação deveria fazer parte dos currículos de graduação em Psicologia e áreas afins. Infelizmente, ainda são raros os cursos do país que a contemplam.

Programas de Habilidades Sociais no atendimento individual

O THS vem sendo bastante utilizado em contexto de atendimento individual (cf., por exemplo, Hagar, Goldstein & Brooks,

2006). O embasamento conceitual, os objetivos e as técnicas do THS em grupo são aplicáveis ao atendimento individual. A condução do programa pode complementar o atendimento terapêutico ou se constituir o componente principal desse atendimento. Em ambos os casos, algumas adap-

tações nas estratégias e procedimentos usuais nos programas grupais podem ser necessárias.

Com adultos, adolescentes e crianças, o programa de THS é planejado a partir da avaliação inicial de deficits, comportamentos concorrentes e recursos identificados pelo terapeuta em associação com a queixa principal. No caso de crianças, geralmente é definido em resposta à solicitação dos pais que apresentam queixas específicas nessa área, baseadas em observações próprias, de professores ou de outros significantes. Em muitos casos, os pais vêm com um diagnóstico do tipo "problemas de relacionamento", "timidez", "agressividade"; na maioria das vezes estão corretos, porém, têm dificuldades de aceitar que eles também são parte do problema.

Sobre o Método Vivencial

Uma análise dos manuais clássicos (por exemplo, Curran & Monti, 1982; Dowd & Tierney, 2005; Elliott & Gresham, 2007; Greene & Burleson, 2003; Hargie, Saunders & Dickson, 1994) permite identificar procedimentos, recursos e técnicas comumente utilizados nos programas de THS. Eles foram desenvolvidos, em sua maioria, sob as abordagens comportamental, cognitiva e cognitivo-comportamental.

É possível constatar uma diversidade de programas de THS com diferentes propostas de técnicas, com maior ou menor ênfase em procedimentos instrucionais e focados em unidades maiores ou menores de Habilidades Sociais. De todo modo, a chave para a efetividade de qualquer programa é estabelecer condições para que o desempenho ocorra e seja alterado na direção esperada e desejável. Uma alternativa que vem sendo desenvolvida nas últimas décadas, com evidências de efetividade, tem sido a do uso de vivências para promover Habilidades Sociais, bem como os demais requisitos da Competência Social.

O uso de vivências como base para programas de THS recebeu a denominação de Método Vivencial. A efetividade desse método pode ser verificada em vários estudos (A. Prette & Del Prette, 2003b; 2011; Z. Del Prette & Del Prette, 2010; Braz, & Del Prette, 2011; Del Prette, Del Prette & Barreto, 1999; Rocha, 2009; Del Prette, Rocha & Del Prette, 2011; Kestenberg & Falcone, 2011; Lopes, 2013; Lopes & Del Prette, 2011; Pereira, 2010; Olaz, Medrano & Cabanillas, 2011; Pereira-Guizzo & Del Prette, 2011; Vila & Del Prette, 2009).

O Método Vivencial refere-se à estruturação de um contexto de aprendizagem no qual o terapeuta obtém acesso direto ao desempenho do(s) participante(s), podendo auxiliá-lo(s) na aquisição de novas Habilidades Sociais sob a perspectiva da Competência Social. Assim o terapeuta pode estabelecer, com o cliente, objetivos que vão além da redução de comportamentos concorrentes e aprendizagem de Habilidades Sociais variadas, de modo a contemplar também a análise das consequências favoráveis a ambos os participantes de uma díade ou membros de um grupo, bem como os demais requisitos da Competência Social.

> O **Método Vivencial** pode ser definido como a estruturação de um contexto experiencial de aprendizagem que, além de permitir o uso de técnicas e procedimentos comuns à maioria dos programas de THS, estabelece condições adicionais favoráveis para a promoção da Competência Social.

Segue uma breve exposição sobre as vivências e o Método Vivencial, assim como seu uso na promoção dos requisitos da Competência Social. Na sequência, são apresentadas as demais técnicas, estratégias e recursos associados a esse método.

O que é vivência?

Há algum tempo o termo "vivência" vem sendo utilizado na Psicologia, quase sempre associado à prática, em oficinas ou treinamento de recursos humanos. Com o sentido de algo vivido, o uso do termo remonta à filosofia, mais especificamente a Dilthey (Amaral, 2004). Para esse filósofo, vivência está relacionada à experiência plena e não fragmentada da realidade, podendo-se dizer que ela se confunde com a própria realidade, situando-se como um ponto intermediário entre o geral e o individual, o universal e o singular, o ideal e o real.

Na formulação inicial do conceito de vivência (A. Del Prette & Del Prette, 2001) nos programas de THS, categorias semelhantes às de Dilthey formaram os nexos principais da definição do termo. Também como Dilthey, o termo vivência foi entendido como algo vivido e que pode continuar sendo experimentado, em uma espécie de *flashback* não apenas cognitivo, mas principalmente comportamental. Em outras palavras, é o que foi "vivenciado" pelo participante, ou seja, um retorno experiencial da situação vivida.

Contudo, no sentido empregado por A. Del Prette e Del Prette (2001), a vivência não se refere exclusivamente a uma experiência passada, mas também a algo que poderá ocorrer. Trata-se de uma experiência nova, passível de acontecer porque reside na ordem previsível do cotidiano humano. Em ambas, os participantes vivenciam tarefas interpessoais próprias das situações estruturadas no contexto da sessão.

A vivência é um momento de experimentar o *geral/universal,* o *singular* e o *ideal.* O geral/universal se reflete nas re-

gras comportamentais que sinalizam contingências estabelecidas pela cultura (ou culturas): "quando" você fizer isso e "se" você fizer assim. O singular se refere exclusivamente à experiência de cada um,
que é única, mas passível de diferentes interpretações. O ideal diz respeito aos comportamentos (observados em si e nos demais) que são metas de um cliente ou de um grupo de participantes. Pode ser o objetivo ou o comportamento-alvo que o cliente busca aprender ou desenvolver em compatibilidade com a subcultura grupal, e também com a avaliação do terapeuta. Considerando as atividades que são denominadas de vivências em programas de THS, esse termo foi definido como:

> Vivência é ❶ uma atividade estruturada [...] ❷ que mobiliza sentimentos, pensamentos e desempenhos dos participantes e ❸ permite ao terapeuta ou facilitador adotar procedimentos específicos para atingir os objetivos do programa.
> (A. Del Prette & Del Prette, 2001, p. 106)

Vivências análogas e simbólicas

Conforme as atividades desenvolvidas pelo terapeuta, as vivências para programas de THS podem ser categorizadas, grosso modo, em duas modalidades: análogas e simbólicas. Essa classificação está relacionada às diferentes funções das vivências em programas de THS.

Nas vivências análogas o terapeuta estrutura a atividade com elementos da realidade do cliente. Por exemplo: a sala de uma empresa com cadeiras, mesa, interlocutores conhecidos (colegas de trabalho) e desconhecidos (clientes) etc. Pode-se alterar a situação inicial para criar novas demandas, avaliando e treinando o(s) participante(s). Por exemplo: em uma tarefa de entrevista de emprego, pode-se simular um chamado telefônico para o entrevistador e/ou a entrada do chefe do entrevistador na situação etc.

> As vivências **análogas** simulam situações cotidianas já experimentadas ou possíveis de serem experimentadas pelos participantes.

As vivências simbólicas podem incluir alegorias, fábulas e jogos. Algumas, apresentadas adiante neste manual, são simbólicas, como, por exemplo, O jogo do silêncio (cf. capítulo 9). Por seu caráter lúdico, elas podem reduzir a ansiedade, facilitando o processo de aprendizagem de comportamentos sociais novos, requisitados no cotidiano social.

> As vivências **simbólicas** simulam situações e tarefas, em geral lúdicas, que não têm correspondência direta no cotidiano, mas que estabelecem demandas para habilidades relevantes na vida social.

Ao utilizar o Método Vivencial, o terapeuta cria condições para uma participação ativa do cliente. A vivência favorece a constatação de que o comportamento tem efeito no ambiente e de que os resultados das interações dependem do indivíduo, da díade e do grupo. Essa exposição aumenta a sensibilidade dos participantes a contingências razoavelmente similares às que ocorrem no seu ambiente natural.

Os programas que adotam o Método Vivencial para a promoção de Habilidades Sociais e dos demais requisitos da Competência Social apresentam muitas vantagens, mas estas dependem especialmente da atenção e observação do terapeuta para utilizá-las de forma efetiva. Dentre algumas vantagens que esse método traz, uma é a de facilitar o acesso do terapeuta aos desempenhos dos participantes no "aqui-e-agora" da sessão, em programas de THS em grupo ou individual. Esse acesso permite que o terapeuta:

- Observe o desempenho do participante em tarefas interpessoais nas sessões, identificando seus recursos e dificuldades.
- Consequencie e forneça direções (*prompts*) para unidades menores do desempenho.
- Utilize modelos de desempenhos entre os participantes.
- Forneça *feedback* ao participante e, no caso de atendimento grupal, faça a mediação de *feedback* dos demais ao colega foco da vivência.
- Identifique e analise a tríplice relação de contingência (antecedente, comportamento e consequência) com os participantes.
- Altere características da vivência durante sua ocorrência, facilitando ou criando novas demandas de desempenhos.

Como regra geral, o terapeuta deve considerar que vivências, principalmente as análogas, não são *scripts* de falas, mas indicações gerais de contextos interativos, cuja fala deve ser elaborada pelo cliente dentro das possibilidades de seu repertório de comportamento. Salvo alguma instrução em particular, o participante em treinamento organiza seu desempenho na própria situação. A vivência pode envolver todos os participantes ou subdividi-los em dois grupos: os que estão em treinamento direto (GV ou Grupo de Vivência) e os que estão em treinamento indireto (GO ou Grupo de Observação). Estes últimos são solicitados a observar (GO ou Grupo de Observação), por vezes, com instruções "segredadas" sobre quem irá observar e em quais desempenhos deverá prestar atenção. Nessas atribuições o terapeuta ou facilitador deve garantir o envolvimento  e cooperação de determinados participantes e propiciar, ao longo das sessões, uma atenção distribuída de maneira mais equitativa possível para todos. Dependendo da necessidade, o terapeuta pode alterar a composição dos grupos trocando um ou outro membro do GO para o GV, ou vice-versa.

Portanto, nas vivências, todos estão sendo treinados simultaneamente. Os participantes do GV aprendem diretamente desempenhando Habilidades Sociais novas ou melhorando as já aprendidas. Os demais, do GO, aprendem por observação e aperfeiçoam as habilidades de descrever, avaliar e prover *feedback* a comportamentos observados.

> Um programa não é uma mera sequência de vivências ou temas. As vivências devem ser escolhidas e utilizadas de acordo com as necessidades e objetivos estabelecidos para o grupo e para a sessão. Isso é feito comparando-se os objetivos do programa inferidos do portfólio dos participantes com os definidos nas vivências e, então, selecionando-se as vivências que estruturam o contexto favorável ao alcance desses objetivos.

No capítulo 10 deste manual e em outros textos (A. Del Prette & Del Prette, 2001 e Z. Del Prette & Del Prette, 2005a) são disponibilizadas vivências simbólicas e análogas testadas em programas grupais de THS. Cada uma delas é especificada em termos de objetivos, material, procedimento, observações e variações.

PARTE II
ORIENTAÇÕES PARA A PRÁTICA

5.

SOBRE A AVALIAÇÃO

Eu sou eu e minha circunstância...
Ortega y Gasset

A avaliação é a base para a caracterização do repertório de Habilidades Sociais da clientela e para a definição dos objetivos e condições de intervenção. Nesse caso, podem ser destacadas as seguintes etapas de avaliação:

- Inicial
- Continuada e de processo
- Final de resultados
- *Follow-up* ou acompanhamento

A importância de cada uma dessas avaliações e os procedimentos envolvidos são brevemente abordados a seguir. Dentre elas, a de *follow-up* é a mais rara em nosso país.

Avaliação inicial: por que e o que avaliar

A avaliação inicial tem o objetivo de efetuar um diagnóstico preciso das queixas do cliente e necessariamente inclui: (a) os deficits nos requisitos de Competência Social; (b) os recursos de que dispõe; (c) os comportamentos concorrentes e outros fatores relacionados a transtornos (por exemplo, ansiedade). Esses aspectos devem ser avaliados em relação às tarefas interpessoais

 cotidianas do cliente. O terapeuta deve investigar ainda: presença ou ausência de transtornos psicológicos ou psiquiátricos, saúde física, autoestima, autoeficácia, CNVP, avaliação do cliente sobre seus relacionamentos e sua qualidade de vida etc.

Muitas vezes, o cliente busca ajuda para queixas que, aparentemente, não incluem dificuldades interpessoais. Ele pode se referir, por exemplo, à insônia, à indiferença de alguns colegas que o magoam e, também, fazer referências a acontecimentos favoráveis, mas "conseguidos com dificuldade". É importante investigar o que o cliente *faz* (comportamentos) em relação a cada aspecto da queixa, história, frequência, duração e contingências associadas a ela. Além disso, o terapeuta deve pedir maior detalhamento das atividades que o cliente considera "agradáveis" e "desagradáveis". Focando os deficits nos requisitos de Competência Social, o terapeuta pode organizar as informações obtidas ou pedir novas que permitam caracterizar o repertório do cliente em termos de automonitoria, autoconhecimento, conhecimento do ambiente e valores.

Essas informações podem ser suficientes para o terapeuta identificar, em termos de Competência Social, os recursos e deficits do cliente para lidar com comportamentos indesejáveis de outros e com seus comportamentos pouco aceitos pelos demais, ou apresentados com alto custo de resposta. A organização dessas informações em um portfólio de cada cliente e/ou do grupo é importante para a definição dos objetivos do programa, suas características estruturais e procedimentos a implementar. No atendimento individual, a avaliação inicial pode ser bem semelhante àquela recomendada para o THS grupal. Ela também ocorre antes de iniciar a intervenção, e o portfólio do cliente pode ser bastante detalhado nesta etapa.

Como avaliar

A avaliação de Habilidades Sociais, tanto quanto possível, deve ser multimodal (Z. Del Prette & Del Prette, 2009; Del Prette, Monjas & Caballo, 2006). Isso significa avaliar com diferentes instrumentos e procedimentos (entrevistas, inventários, *checklists*, observação direta, *role play* etc.) e junto a diferentes informantes: no caso de crianças, com familiares e professores; no caso de adultos, com familiares.

A entrevista pode ser muito importante para identificar dificuldades interpessoais do cliente e a pertinência, ou não, de um programa de THS para ele. Pode, igualmente, representar o primeiro contato do terapeuta com o cliente e ser posteriormente complementada com outros procedimentos e instrumentos de avaliação. Algumas vezes, ela ocorre também após a aplicação de inventários, como forma de detalhar informações sobre dificuldades identificadas.

Segue um trecho de entrevista de sondagem com registro de falas do terapeuta (T) em conversa com o cliente (C), acrescidas de anotações sobre CNVP de C, em que T procura obter informações sobre eventuais dificuldades em Habilidades Sociais do cliente. Conquanto essas informações sejam preliminares, elas sugerem indicadores de "problemas interpessoais", considerando também as observações dos comportamentos do cliente durante a entrevista inicial.

C: *Eu e minha mulher vivemos brigando...* (evita contato visual).
T: *Há quanto tempo isso vem acontecendo?*
C: *Já tem uns seis ou sete meses* (estala os dedos). *Ultima-
    mente, demoro para chegar em casa para evitar as brigas, mas não
    adianta...*
T: *Quando você chega mais tarde, ela se queixa?*
C: *Sim... Eu tento explicar, mas não consigo...* (olha em direção à
    porta).
T: *O que você diz?*
C: *Peço para ela me ouvir. Ela fica quieta, mas aí não sei o que dizer*
    (olha para T).
T: *[...]*
C: *O pior é que, no trabalho, um colega fica "zoando" comigo...*
T: *O que ele faz?*
C: *Fica fazendo graça...* (cruza as mãos sobre as pernas).
T: *De que jeito [...] Como que é "essa graça" que ele faz?*
C: *Fica me imitando e dando risada.*
T: *Você já conversou com ele sobre isso?* (balança a cabeça em sinal
    negativo)
C: *Bem que tentei... Ele falou: "Pode falar, cara, fala..."*
T: *E...?*
C: *Eu disse: "Deixa pra lá"... Puxa, agora estou me dando conta de
    que nos dois casos fiquei furioso e não disse nada...*
T: *Teve alguma situação em que você falou?*
C: *Acho que... Eu tentei, eu tentei...*

A partir da entrevista inicial, o terapeuta pode recorrer a instrumentos padronizados visando caracterizar os tipos de deficits em Habilidades Sociais, sua possível generalização para diferentes ambientes, os comportamentos concorrentes e os demais requisitos de Competência Social.

A avaliação por meio de entrevistas e inventários com outros informantes (pais, professores e colegas) é mais comum no caso de crianças, que podem apresentar dificuldade em autoavaliação. No entanto, mesmo no caso de adultos (amigo, cônjuge, filhos etc.), a avaliação por outros pode, algumas vezes, ser importante para uma definição mais precisa dos deficits e recursos do cliente. Já se dispõe, no Brasil, de uma quantidade razoável de instrumentos padronizados para isso, especialmente na modalidade de inventários e questionários (cf. http://www.rihs.ufscar.br e também Z. Del Prette & Del Prette, 2009).

A avaliação por relatos deve ser complementada, sempre que possível, por observação, que pode envolver: (a) desempenho de papéis (*role playing* estruturado e semiestruturado, breve ou extenso); (b) filmagens no ambiente doméstico, em escolas, hospitais ou outros contextos; (c) registros realizados pelo terapeuta ou auxiliar no ambiente do cliente (mais comum no caso de crianças na residência, escola e/ou instituição penal); e (d) registros em fichas pelo cliente. A Tabela 5.1 resume os principais aspectos a serem avaliados e os recursos para efetuar essa avaliação. Eles contemplam tanto os dados de relato como os de observação direta ou via situações estruturadas.

Tabela 5.1. Requisitos de Competência Social a serem avaliados e procedimentos relacionados.

ASPECTOS A SEREM AVALIADOS	COMO AVALIAR
Habilidades Sociais: amplitude e variabilidade do repertório, bem como habilidades deficitárias do cliente para lidar com tarefas interpessoais relevantes em contextos de família, trabalho, lazer etc. e comportamentos concorrentes.	Inventários de autorrelato e relato por significantes que permitam um levantamento amplo, o qual possa, depois, ser detalhado por meio de entrevistas; situações estruturadas ou semiestruturadas de *role playing*; observação direta em situação natural.
Automonitoria e análise de contingência: capacidade de efetuar análise das contingências associadas ao próprio comportamento (antecedentes ou demandas, consequências) e ao comportamento dos demais.	Entrevistas e *role play* com observação e análise de desempenho em sessão.

ASPECTOS A SEREM AVALIADOS	COMO AVALIAR
Conhecimento do ambiente: capacidade de identificar normas, valores e regras da cultura para a convivência em diferentes contextos e tarefas interpessoais.	Entrevista e sessões iniciais com uso de roteiro ou *checklist*.
Autoconhecimento: capacidade de identificar as próprias habilidades (deficits e recursos), crenças, sentimentos, autorregras, autoeficácia etc.	Inventários de autorrelato e entrevistas cotejadas com avaliação por outros, observação direta e relatos de desempenho do participante.
Valores de convivência: o que o cliente valoriza como desejável e correto no seu desempenho interpessoal e no de outras pessoas; o que é considerado indesejável e incorreto.	Entrevistas com questões para identificar valores e autorregras, como, por exemplo, análise de situações interpessoais; observações sobre o desempenho do cliente no grupo.

Com base nas informações e indicadores da avaliação inicial, o terapeuta pode organizar o portfólio do cliente, que permite identificar os objetivos relevantes para a intervenção e monitorar suas aquisições e melhoras ao longo do programa.

Avaliação de processo

A avaliação de processo deve ocorrer durante todo o atendimento, seja no formato grupal ou individual, e incluir informações detalhadas sobre o desempenho do cliente nas tarefas de casa e em cada sessão. Assim, é importante dispor de informações sobre seu engajamento, suas melhoras parciais e dificuldades apresentadas.

Em relação às aquisições do cliente, além da observação direta dos desempenhos nas sessões, a avaliação de processo deve buscar indicadores da generalização das Habilidades Sociais novas para o ambiente extrassessão, seja por meio dos relatos do cliente, seja de informantes (pais ou responsáveis, no caso de crianças). Quanto às condições do programa, é importante registrar alteração ou manutenção do planejamento inicial e eventos facilitadores ou dificultadores identificados. Registrar também novos recursos e procedimentos, como, por exemplo, uso de sessões individuais para um ou mais clientes, alterações no portfólio e tarefas de casa adicionais.

Para realizar a avaliação de processo, o terapeuta deve manter um registro das informações relevantes ao final de cada sessão, em que conste, por exemplo, aquisições e dificuldades notadas, motivação etc. Essas informações podem ser complementadas por dados ou observações do terapeuta sobre assiduidade, colaboração nos procedimentos, relatos espontâneos, ou seja, comportamentos próprios de uma "aliança terapêutica" e "bem-estar subjetivo".

Avaliação continuada

Quando a avaliação inicial é baseada em autorrelato, tanto os recursos quanto os deficits ou dificuldades podem ser superestimados ou subestimados. Nesse caso, em programas vivenciais, logo nas primeiras sessões os participantes começam a relatar aquisições ou dificuldades anteriormente não mencionadas. Podem ocorrer também aquisições "naturais" por meio da observação do desempenho de colegas. Daí a importância da avaliação continuada ao longo do programa.

A avaliação continuada faz parte de qualquer intervenção e também dos programas de THS. Ela é realizada por: (a) observação direta e registros feitos pelo terapeuta na ficha das sessões; (b) avaliações específicas de outros participantes, no caso do THS em grupo; (c) registros sobre relatos do cliente, principalmente das TIC; (d) registro de avaliação de professores, enfermeiros, assistentes sociais e funcionários quando a intervenção ocorre em escola, hospital, instituição penal etc. Essa avaliação permite identificar as aquisições que indicam superação de deficits, generalização e mesmo novas eventuais dificuldades ou deficits não somente em Habilidades Sociais, mas também nos demais requisitos da Competência Social.

Avaliação final

Essa avaliação visa aferir as aquisições do cliente no programa comparando os desempenhos nas sessões finais com o repertório inicial do cliente, incluindo a autoavaliação e avaliação por outros. Os resultados positivos podem ser tomados como indicadores de efetividade e eficácia das condições de intervenção. Essa avaliação preferencialmente é feita por meio da reaplicação dos instrumentos utilizados no início da intervenção, incluindo a autoavaliação e a avaliação por outros.

Em resumo, a avaliação final deve aferir melhoras clínica ou educacionalmente relevantes em termos de:

- Superação de deficits iniciais.
- Diminuição de comportamentos concorrentes com Habilidades Sociais.
- Redução de sintomas interpessoais associados a queixas ou transtornos.
- Aquisição de Habilidades Sociais novas.
- Aquisição/aperfeiçoamento dos demais requisitos da Competência Social.
- Melhora na qualidade de vida, autoestima, resiliência, felicidade e outros indicadores de impactos do atendimento.

A avaliação final, sendo relacionada a uma análise de processo, pode contribuir para o aprimoramento do programa, permitindo que o terapeuta levante hipóteses sobre a efetividade de procedimentos e técnicas utilizados e, também, sobre algumas condições presentes em diferentes momentos da intervenção. No atendimento individual, o terapeuta reavalia o cliente principalmente por observação direta e pelos relatos dele ou de outrem. Também nesse caso vale a avaliação comparativa com o repertório inicial e com a análise de processo.

Sobre as devolutivas

As devolutivas para os clientes devem focalizar: informações iniciais sobre seu repertório (recursos, deficits, dificuldades etc.); melhoras e aquisições em direção à superação dos problemas; indicadores de generalização. Ao final do programa, o terapeuta deve informar o cliente sobre o conjunto de suas aquisições e, também, quando for o caso, sobre os objetivos que ainda não foram alcançados.

Avaliação de acompanhamento (*follow-up*)

Essa avaliação – realizada algum tempo após o encerramento do programa (dois meses ou mais) – é importante para verificar a manutenção das aquisições. Ela deve ser previamente combinada com o cliente na forma de um ou mais encontros adicionais do grupo ou de sessões individuais com esse objetivo. Outros recursos também podem ser utilizados, como, por exemplo, contatos por telefone ou e-mail, questionários com poucos itens enviados para professores ou pais etc. Essa avaliação não deve ser negligenciada no atendimento individual. Trata-se de uma prática ainda pouco frequente, inclusive em termos de pesquisa, porém, cada vez mais valorizada.

A avaliação da generalização

A avaliação da generalização está associada tanto às de processo e continuada como à final e de acompanhamento e merece atenção especial, pois, em última instância, é a meta principal de qualquer atendimento. Trata-se de verificar se as habilidades adquiridas estão ocorrendo e se mantendo no ambiente natural: (a) em novas situações e contextos; (b) com diferentes interlocutores; (c) em tarefas interpessoais semelhantes àquelas em que foram aprendidas. Nesse caso, o relato do cliente é importante também para o terapeuta verificar o "custo de resposta" e se as Habilidades Sociais novas obtêm ou não aceitação do ambiente. Cabe lembrar que a avaliação da generalização deve ser monitorada desde as sessões iniciais do programa.

6.

SOBRE TÉCNICAS, PROCEDIMENTOS E RECURSOS ASSOCIADOS A VIVÊNCIAS

> *A Psicologia não pode dizer às pessoas como devem viver suas vidas. Entretanto, pode proporcionar os meios para efetuarem sua mudança pessoal e a mudança social.*
>
> Albert Bandura

O contexto vivencial estabelece uma razoável quantidade de demandas para desempenhos que precisam ser aprimorados, bem como para desempenhos que podem ser utilizados como modelos ou ilustrações de alternativas. Essas condições possibilitam promover a variabilidade em Habilidades Sociais e demais requisitos da Competência Social, em associação com o uso de procedimentos, técnicas e recursos de intervenção. Dependendo do repertório e das necessidades dos participantes, o programa pode incluir módulos específicos para a redução de ansiedade e a intervenção sobre crenças e comportamentos encobertos identificados como disfuncionais para interações bem-sucedidas.

Considerando as práticas efetivas no Treinamento de Habilidades Sociais com ênfase na Competência Social, neste capítulo são apresentadas orientações específicas para o uso de técnicas, recursos e demais procedimentos que podem ser associados às vivências. Pode-se utilizar, nos programas de THS, técnicas que incluam exercícios instrucionais, exposição dialogada, ensaio comportamental e tarefas interpessoais de casa. O procedimento pode incluir ainda o uso de *feedback*, reforçamento, modelagem, análise de contingências das interações e modelação (real ou simbólica). São destacados alguns cuidados e possibilidades (como e quando usar) para essas diferentes estratégias multimídia, destinadas ou não para programas de THS.

Principais técnicas e procedimentos

A seguir são detalhados as principais técnicas, procedimentos e recursos que podem ser utilizados em programas grupais ou individuais de THS. Em cada um deles, há uma breve descrição, seguida de orientação sobre *como* e *quando* podem ser utilizados.

Feedback. Descrição verbal do desempenho do participante, logo após sua ocorrência. Fazer e mediar seu uso ao longo de todo o programa, com ênfase no *feedback* positivo dos desempenhos ocorridos em sessão, inclusive para a melhoria nos relatos.

Reforçamento e modelagem. Consequenciação e/ou mediação de consequências para aproximações sucessivas ao comportamento-alvo. Realizar nas sessões e de forma contingente a aquisições e melhoras no desempenho do cliente em direção aos objetivos.

Modelação. Solicitação de observação e reprodução de desempenhos específicos seguida por *feedback* e/ou nova reprodução. Utilizar principalmente no caso de dificuldade por meio de modelagem: pedir a um ou mais participantes para observar o desempenho de outro e depois para reproduzi-lo.

Modelação simbólica. Solicitação de observação e reprodução de desempenho de modelos simbólicos, como personagens de histórias, bonecos, fantoches etc. Fazer uso quando observar dificuldade na aprendizagem via modelagem, especialmente com crianças; pode-se pedir que a criança vá verbalizando o que o personagem está fazendo como forma de apoio ao desempenho.

Modelação encoberta. Terapeuta e cliente criam modelo imaginário; terapeuta solicita que cliente "visualize" o desempenho de modelo, descreva seus comportamentos e os resultados obtidos. Fazer uso quando o cliente tiver dificuldade na aprendizagem por modelagem ou quando mostrar recursos imaginativos que sugiram essa alternativa como efetiva e viável.

Desempenho de papéis (*role play*). O *role playing* ou jogo de papéis é uma técnica que envolve simular interações em tarefas interpessoais relevantes para o cliente, podendo incluir a reversão de papéis, quando o cliente assume o papel do interlocutor. Fazer uso quando o cliente encontrar dificuldade em relatar comportamentos do interlocutor, compreender o contexto interativo e discriminar desempenhos e contingências.

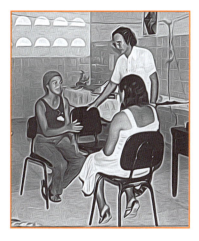

Ensaio comportamental (*Behavioral Rehearsal*). Arranjo de contexto interativo (estruturado ou minimamente estruturado, podendo envolver outros participantes) para o desempenho do cliente em ensaios a serem progressivamente aperfeiçoados. Estruturar em sessão a partir dos relatos de Tarefa Interpessoal de Casa e de outros relatos de dificuldade em tarefas específicas que podem ser comuns à maioria dos participantes.

Tarefas Interpessoais de Casa (TIC)[5]. Atribuição de desempenhos interativos com enunciado claro e sintético para que os participantes realizem fora da sessão. Atribuir ao final de cada

---

5. A sigla TIC está sendo usada sem variar singular e plural.

sessão e pedir relato/análise no início da sessão subsequente (procedimento detalhado adiante).

Reestruturação cognitiva. Questionamento verbal e solicitações de análise de crenças disfuncionais, como as catastróficas, generalizantes, autodepreciativas etc. Adotar para o caso de relatos de crenças ou regras que evidenciem esquiva ou fuga de desempenho necessário e oposto a comportamentos concorrentes.

Resolução de problemas. Indução de processo metacognitivo para compreensão e solução de problemas por meio das etapas: (1) definição do problema, (2) levantamento de alternativas, (3) avaliação de cada alternativa, (4) escolha de uma delas, (5) implementação da alternativa escolhida e (6) avaliação dos resultados da alternativa. Pode ser usada quando o cliente precisa resolver um problema e tem dificuldade de analisar e identificar possibilidades de solução; aplicar individualmente ou em processo de decisão de grupo.

Análise de contingências. Solicitações para identificação de relações entre o comportamento (observado ou relatado) e seus antecedentes e consequentes. Conduzir mais intensivamente nas sessões iniciais e gradualmente incentivar manifestações espontâneas e análises cada vez mais refinadas.

Exposição dialogada. Exposição didática sobre situações, demandas, normas da cultura, análise de contingências e outros aspectos importantes para a Competência Social, podendo ser associada a outros procedimentos e recursos. Usar em qualquer momento da sessão, mas em menor proporção que os demais procedimentos, priorizando o desempenho do(s) cliente(s).

Exercícios instrucionais. Tarefas lápis-papel para análises, aplicação de conceitos, exemplificação, elaboração de respostas, ilustrações etc. Aplicar em articulação com exposições dialogadas em sessão e/ou como tarefa extrassessão.

Uso de recursos multimídia. Uso de textos, filmes, mensagens, música e outros que ilustram desempenhos socialmente competentes ou não competentes e suas consequências. Utilizar principalmente para ilustrar desempenhos visando análise e reflexão para modelação e apoio em exposição dialogada.

Detalhando algumas técnicas e procedimentos

Algumas das técnicas e procedimentos descritos no capítulo 6, importantes em programas de THS e usualmente pouco enfatizadas nos manuais técnicos, são apresentadas com mais detalhe a seguir.

Sobre as Tarefas Interpessoais de Casa

Os programas vivenciais também possibilitam o uso de Tarefas Interpessoais de Casa (TICs) desde a primeira sessão, salvo condições específicas que venham dificultá-las. O tipo de tarefa atribuída depende dos recursos dos participantes e deve atender a vários objetivos, além daqueles usualmente associados a essa técnica. Algumas tarefas podem propiciar informações relevantes para ajustar o programa às necessidades do grupo (A. Del Prette & Del Prette, 2005a).

Em termos gerais, os objetivos das TIC incluem experiência fora da sessão (realizar a tarefa) e dentro da sessão (expor, analisar, avaliar a própria tarefa realizada e participar da análise das tarefas relatadas por colegas em programas grupais). Espera-se que essas condições sejam favoráveis para:

- Generalizar Habilidades Sociais novas, aprendidas em sessão, para outros ambientes e interlocutores.
- Exercitar componentes da automonitoria, tais como: observar, descrever, analisar contingências no contexto natural.
- Experimentar as contingências do ambiente, melhorando a sensibilidade a elas.

- Atentar para a avaliação e *feedback* do facilitador e do grupo sobre as tentativas realizadas e também prover *feedback* aos demais.
- Avaliar se as aquisições estão sendo suficientes para lidar com as demandas interativas de seu cotidiano.
- Descrever contingências identificadas nas tarefas relatadas pelos demais participantes, em termos de consequências *versus* custo de realizá-las.

No quadro, são apresentadas algumas sugestões de tarefas interpessoais genéricas de casa. No entanto, a lista de cada grupo deve ser feita de acordo com as necessidades identificadas no portfólio e convertidas em objetivos do cliente. Supondo, por exemplo, que alguns participantes manifestem dificuldades de autocontrole, o facilitador pode atribuir tarefas em que o autocontrole é condição presente a ser exercitada. Examinando o Quadro de TIC, o leitor identificará pelo menos duas tarefas relacionadas ao autocontrole.

EXEMPLOS DE TAREFAS INTERPESSOAIS DE CASA
✓ Conversar com desconhecido em ambiente público sem risco (farmácia, padaria, *shopping*).
✓ Não responder a uma pergunta feita por um amigo.
✓ Elogiar adereço ou roupa de um colega.
✓ Pedir um favor não abusivo a um colega.
✓ Abraçar um familiar ou amigo.
✓ Solicitar mudança de assunto em uma conversa.
✓ Recusar um pedido.
✓ Deixar de responder pergunta inconveniente.
✓ Sair de uma situação semelhante à que costuma perder o controle.

Na fase inicial do programa, são solicitadas as mesmas tarefas – denominadas de genéricas – para todos os participantes. O uso de tarefas genéricas facilita o nivelamento do repertório do grupo e a correção de discrepâncias. Nas sessões subsequentes, o terapeuta passa a atribuir tarefas personalizadas, ou seja, diferenciadas, de modo a atender às necessidades de cada participante, ou a mesma tarefa a pequenos grupos que compartilham dificuldades semelhantes.

Em geral os clientes, tanto no atendimento em grupo como no individual, gostam de realizar as tarefas de casa, contudo, eventualmente podem ocorrer falhas nessa atividade. As justificativas mais comuns são: (a) falta de oportunidade; (b) esquecimento; (c) autoavaliação de incapacidade para os desempenhos requeridos; (d) lembrança de atividades feitas muito antes da solicitação da tarefa, tal como mostra a ilustração acima. Os itens a e b são os mais frequentes e podem, salvo rara exceção, ser entendidos como comportamentos de esquiva ou mesmo de dificuldade real de realização.

Além de atentar à necessidade de ajustar a complexidade da tarefa ao repertório do cliente, alguns procedimentos são úteis para evitar essas justificativas e aumentar a probabilidade de realização da tarefa. O primeiro procedimento é pospor o relato da tarefa não realizada para a semana seguinte, realizando então duas tarefas nesse intervalo de tempo. O segundo procedimento relacionado ao esquecimento consiste em instruir os participantes, já na primeira sessão do programa, a utilizar recursos *mnemônicos* (lembretes). Esclarecer que deve ser um estímulo presente nas situações em que a tarefa pode ser realizada e pedir exemplos de mnemônicos que os participantes costumam utilizar. Em relação à falta de oportunidade, o terapeuta pode pedir para os participantes observarem atentamente os contextos em que as chances provavelmente ocorrem, orientando-os a criarem oportunidades por meio de perguntas ou comentários.

Sobre o uso de recursos multimídia

Os recursos multimídia são produtos de literatura (livros, estórias, contos, quadrinhos etc.), vídeos educativos, filmes, jogos e ilustrações diversas.  Nos últimos tempos, eles vêm sendo selecionados, planejados e utilizados como apoio a processos educativos e terapêuticos com crianças e com adultos. Alguns estudos ilustram, embora não esgotem tais recursos (Casagrande, Del Prette & Del Prette, 2013; Comodo, Del Prette, Del Prette & Manolio, 2011; Z. Del Prette & Del Prette, 2005b; Del Prette, Domeniconi, Amaro, Laurenti, Benitez & Del Prette, 2012; Dias, Del Prette & Del Prette [n.d.]; Lopes, & Del Prette, 2011; 2013; Rocha, Oliveira & Gonçalves, 2016).

A escolha dos recursos multimídia deve ser objeto de atenção por parte do terapeuta, considerando os objetivos para os quais serão utilizados. De modo geral, recursos multimídia podem trazer informação relevante sobre as regras e valores do contexto social, bem como ilustrações que servem de modelo simbólico de Habilidades Sociais, especialmente com crianças.

Os vídeos, filmes e outros materiais multimídia constituem excelentes recursos a inserir nos programas de THS. Filmes comerciais geralmente não apresentam pretensões didáticas, mas contêm trechos potencialmente educativos que podem ser editados e utilizados.

> Recursos não devem ser confundidos com técnicas: são apoios que dependem da habilidade do terapeuta ou facilitador para utilizá-los de modo a contribuírem na motivação e aprendizagem dos participantes.

Sobre as atividades instrucionais

As atividades instrucionais constituem um complemento em programas vivenciais. Elas devem ser usadas com moderação, mas podem ocorrer em vários momentos de um programa de THS.

As atividades instrucionais constituem um complemento em programas vivenciais. Elas devem ser usadas com moderação, mas podem ocorrer em vários momentos de um programa de THS e sob os diferentes procedimentos.

Um procedimento previsto e utilizado de forma breve é o da Exposição Dialogada (ED). Nele, o terapeuta pode produzir pequenos textos para leitura e discussão entre os participantes, expor brevemente conteúdos apoiados em recursos visuais, ou ainda combinar esses procedimentos. Na vivência *Praticando o feedback* (capítulo 10) é apresentado um texto de apoio e um conjunto de *slides* em *power point* para apoiar essa atividade. Algumas recomendações importantes para uso de ED:

- Usar o diálogo com o grupo, atento para que todos participem.
- Evitar prolongar-se em exposição. O tempo máximo deve se restringir a cerca de 20 minutos ou menos, a depender da clientela.
- Evitar contrapor-se a crenças dos participantes, aguardando momento propício para esclarecimento, quando for o caso.

Outro procedimento instrucional é o uso de exercícios com base em textos de descrição de interações, para a análise e desempenho individual ou em pequenos grupos. Esse procedimento deve estar associado à exposição ao grupo, com *feedback* imediato do terapeuta e dos demais participantes. Como exemplo, no capítulo 10, podem ser encontrados exercícios para a compreensão e exercício da assertividade e da empatia. Esses recursos são pertinentes ao atendimento individual ou de grupo.

7.

COMO PROMOVER OS REQUISITOS DA COMPETÊNCIA SOCIAL

*Quando a gente pensa que sabe todas as respostas,
vem a vida e muda todas as perguntas.*
Provérbio escandinavo

Neste capítulo são apresentadas orientações específicas para a promoção de cada um dos requisitos da Competência Social, com ênfase nas possibilidades relacionadas às vivências, tarefas de casa e atividades instrucionais. Em cada uma delas espera-se também que o terapeuta utilize, de forma pertinente, os recursos multimídia e as técnicas de reforçamento, modelagem, modelação, *feedback*, reestruturação cognitiva etc., conforme apresentado no capítulo 6.

Variabilidade de Habilidades Sociais

O uso de vivências constitui condição especialmente propícia para promover a variabilidade. Nessa situação, tanto no atendimento em grupo como no individualizado, o cliente entra em contato com as contingências da tarefa interpessoal sob a mediação do terapeuta. Ele é solicitado a descrever seus comportamentos e a identificar antecedentes e consequentes. As situações de vivências são oportunas para a aprendizagem de variabilidade comportamental, mesmo quando a vivência não foi planejada para promovê-la. Os exemplos de procedimentos do terapeuta a seguir são válidos para intervenções de grupo, contudo, adequam-se também ao formato individual:

- Solicitar ao participante que retorne à situação prévia da vivência e apresente desempenho diferente do anterior.
- Instruir os interlocutores (também membros do GV) a reagirem diferencialmente conforme a qualidade da alternativa apresentada pelo participante.
- Indicar membros do GO para dar *feedback* positivo a desempenhos mais prováveis de resultar em consequências favoráveis diante das demandas da situação vivencial.

A exposição direta do cliente às condições e efeitos do seu desempenho diretamente na sessão ou relatado nas tarefas de casa pode, ainda, ampliar a sensibilidade às contingências. Isso ocorre devido ao treino de observação e de análise de contingências, o que favorece:

- Testar variações da mesma habilidade e as consequências associadas a diferenças de desempenho e de contingências, mesmo as mais sutis.
- Discriminar adaptações necessárias no desempenho da tarefa diante de diferentes demandas e contextos, como, por exemplo, familiar, de trabalho, de estudo, de lazer etc.

Automonitoria e análise de contingências

Ao conduzir uma vivência, o terapeuta tem muitas oportunidades de estabelecer ocasião para a aprendizagem da automonitoria. Um meio simples é interromper um desempenho na vivência e pedir para o participante:

- Descrever seu comportamento até o momento.
- Descrever o contexto e os comportamentos do interlocutor (verbais e não verbais).
- Avaliar se seus comportamentos alteraram ou não o curso da interação no sentido pretendido.

- Expor alternativas para dar continuidade à interação e as prováveis consequências de cada uma.
- Relatar o que decidiu que fará em seguida.

Também aos participantes do Grupo de Observação (GO), ao final ou em determinado momento de uma vivência, podem ser solicitadas análises semelhantes. Trata-se de um arranjo de condições para que os membros do GO se mantenham atentos, observando e, dessa forma, aumentando a probabilidade de aprender por modelação. De igual modo, é possível e viável pedir a análise de contingências de interações observadas imediatamente antes na vivência.

Em um atendimento, por exemplo, uma das participantes tinha por padrão falar de doenças sempre que encontrava alguma "deixa" para isso, o que a tornava pouco interessante para seu interlocutor. Nesse caso, discutiu-se com a cliente e demais membros do grupo estratégias que as pessoas utilizam para obter atenção, o que inclui comportamentos de queixas sobre doenças. Os membros do grupo afirmaram que esta é uma forma de obter atenção, mas por pouco tempo, pois produz afastamento e evitação dos demais. Na sequência, o terapeuta estruturou um *role playing* instruindo um dos membros do grupo na interação para falar sobre doença e a participante para, logo que possível, mudar o assunto da conversa. Com alguma dificuldade inicial, a cliente conseguiu, em nova sequência, mudar o assunto, recebendo aprovação dos demais. O terapeuta lhe atribuiu, como TIC (Tarefa Interpessoal de Casa), listar diferentes temas para conversar e mudar de assunto quando alguém falasse sobre doenças ou remédios. Essa prática foi bem-sucedida e a cliente começou a relatar episódios de conversação mais interessantes, observados também em sessão.

Em outro exemplo, com pré-escolares, Dias e Del Prette (2015) relatam condições e aquisições de um grupo que passou por intervenção especificamente voltada para a promoção de automonitoria, com o uso de recursos lúdicos que ilustravam interações. A criança era solicitada a identificar quais ilustrações representavam sua forma usual de se comportar e a prever consequências para diferentes comportamentos sociais, o que era complementado com treino em situações estruturadas de demandas para a prática da automonitoria.

Adotar novo comportamento implica, geralmente, autocontrole da impulsividade para responder da maneira habitual, dispor de alternativas variadas e observar os efeitos. Para muitas pessoas a dificuldade maior é exatamente essa "quebra de estereotipia" que deve, então, ser objeto de atenção do terapeuta.

Conhecimento do ambiente social

Programas de THS em formato grupal podem ser considerados um microcosmo do ambiente social, porque trazem, para o contexto da sessão, as regras e normas de seus ambientes, o que é essencial na avaliação, aquisição e generalização de suas Habilidades Sociais.

Nas vivências, os participantes (GV) reproduzem, de forma análoga ou simbólica, regras e normas do ambiente em que vivem. Os participantes do GV, em suas análises e *feedbacks*, também refletem as regras e normas da subcultura grupal. Cabe ao terapeuta, portanto, potencializar essas condições. Algumas alternativas são sugeridas:

- Efetuar ou solicitar análises sobre a relação entre as contingências explícitas ou implícitas na vivência e os desempenhos dos participantes do GV.
- Solicitar previsão de efeitos prováveis no ambiente natural para os desempenhos dos participantes do GV. (*Olga, se você fizer dessa forma na conversa com a mãe, como acha que ela irá reagir? E vocês do grupo, o que acham?*)
- Solicitar identificação de demandas para os comportamentos do GV. (*Em quais situações da vida de Olga ela poderia agir dessa maneira?*)

- Exercitar autoavaliação do participante do GV sobre seu desempenho.
- Prover consequências (elogio e *feedback* positivo) às aquisições dos participantes.

Nesse sentido, os efeitos prováveis de determinadas alternativas de desempenho no ambiente natural do cliente são testados no contexto da sessão. Isso ocorre quando os participantes avaliam ou são solicitados a avaliar o desempenho do colega em treinamento, o que possibilita ampliar o conhecimento de todos sobre os valores e normas do ambiente. Esses exercícios, juntamente com os de relato das Tarefas Interpessoais de Casa, constituem, portanto, condições propícias para melhorar o conhecimento do cliente sobre padrões de comportamentos esperados, tolerados ou reprovados pelo ambiente social e a subcultura do grupo.

> Na análise das tarefas de casa, pode-se proceder à identificação de regras e normas sociais que estariam na base dos desempenhos relatados pelos participantes; a aceitação das normas pode implicar o aperfeiçoamento do desempenho, mas a rejeição pode levar à análise da importância do enfrentamento por meio de desempenhos alternativos, porém respeitando os critérios de Competência Social.

A aquisição de conhecimento pelo cliente requer acesso a informações sobre os desempenhos aprovados, reprovados ou tolerados diante de diferentes demandas da situação e da cultura. Essas informações devem ser cotejadas com os critérios instrumentais e éticos da Competência Social. Para isso, o terapeuta pode conduzir e mediar atividades instrucionais, tais como:

- Reflexão sobre as tarefas e relações interpessoais no contexto histórico-cultural dos participantes.
- Análise das interações vivenciadas na sessão, ou trazidas por meio de relato, considerando os padrões de convivência existentes e os critérios de Competência Social.
- Reconhecimento de direitos socialmente estabelecidos e situações de violação de direitos, considerando o processo histórico de conquista de direitos interpessoais.

As Tarefas Interpessoais de Casa constituem condição importante para ampliação de tais conhecimentos. Tarefas que envolvem demandas de habilidades assertivas, empáticas, de abordagem afetivo-sexual, reivindicação de reajuste de salário, colaboração em campanhas de solidariedade, contato com autoridade etc. são exemplos de contextos que criam condição para essas análises.

Valores de convivência

O desenvolvimento e a aprendizagem de valores devem ser promovidos desde a mais tenra idade. Nesse sentido, a atuação dos pais e demais educadores é fundamental. Algumas experiências educativas na escola vêm se mostrando promissoras nessa direção (por exemplo, Borges & Marturano, 2012).

Quando os valores de convivência de uma pessoa são incompatíveis com a noção de Competência Social, torna-se importante promovê-los em programas de THS, mesmo considerando que o escopo de um programa pode ser insuficiente para alterá-los de forma significativa. No caso desses programas, o Método Vivencial é recomendado porque facilita deslocar o foco de atenção: do indivíduo para o grupo e o contexto social. Por exemplo: a vivência *Valores nas interações sociais* (capítulo 10) usa uma metáfora para ilustrar valores relevantes para as interações sociais e levar os participantes a refletir sobre as implicações de interações sociais responsáveis. Adicionalmente, a vivência *A história de Joana*[6] permite discutir como, inadvertidamente, as pessoas se deixam envolver por ideias preconcebidas mais do que por uma análise objetiva dos comportamentos e contingências. Nela fica evidente o viés negativo ou preconceituoso sobre as demais pessoas que se comportam de maneira diferente e como isso afeta a qualidade das relações interpessoais.

---

6. Há uma versão dessa vivência para crianças e jovens denominada *Vamos conhecer Pedrinho*.

As atividades de análise e reflexão (exercícios instrucionais com textos escritos, exposição dialogada, leituras etc.) também podem ser orientadas para a promoção de valores de convivência. Trata-se, nesse caso, de ampliar a competência dos participantes para analisar, estimar ou prever consequências de diferentes opções de desempenho, além de inferir condições favoráveis e desfavoráveis à convivência saudável no ambiente.

A dimensão ética da Competência Social inclui, sempre que possível, a atenção a ambos os polos da interação, seja ela diádica, entre grupos ou mesmo entre estratos maiores. Nos dois primeiros casos, trata-se do indivíduo (participante da intervenção) e do grupo em que está inserido, ou o seu grupo em relação a outro grupo. Essa proposta é coerente com o princípio "ganha-ganha", referente ao respeito aos direitos interpessoais, e com a Regra Áurea, ambos na base da Competência Social. Quanto às questões relacionadas aos estratos amplos, como, por exemplo, filiações a diferentes religiões, times de futebol, partidos políticos etc., o princípio norteador é o do respeito às diferenças.

Em síntese, a valorização de padrões de convivência saudáveis, compatíveis com desempenhos socialmente competentes, deveria constituir uma meta presente ao longo de todo o programa. Para isso, é fundamental que, sempre que surja a oportunidade, o terapeuta direcione a atenção do grupo para a identificação e análise dos critérios de Competência Social pertinentes à dimensão ética, provendo inclusive modelo de atuação eticamente compromissada.

Autoconhecimento

O contexto vivencial é uma condição especialmente favorável para o autoconhecimento. O terapeuta pode maximizar essa possibilidade:

- Salientando a relação entre o desempenho do participante e as contingências imediatas da vivência (as demandas ou antecedentes e as consequências).

- Mediando análises e *feedbacks* do GO sobre a relação entre o desempenho do participante e as contingências da vivência.
- Solicitando relato do participante sobre seus comportamentos encobertos durante a vivência.

Diferentemente dos relatos sobre desempenhos fora da sessão, no contexto vivencial eles são, provavelmente, mais confiáveis, por serem solicitados logo após o desempenho a que se referem. Isso diminui a dependência de memorização e possibilita verificar a consistência entre observadores e o que eles mais valorizam. Trata-se, portanto, de uma condição privilegiada para aperfeiçoar a habilidade de relatar sob o controle do que foi observado, permitindo que o facilitador vá "calibrando" a correspondência entre o comportamento de relatar do participante e os comportamentos aos quais o relato se refere. O relato de comportamentos e respectivas contingências que antecedem e seguem os comportamentos sociais (tríplice relação de contingências) constitui uma etapa importante para o autoconhecimento e a automonitoria.

Algumas vivências são direcionadas para o autoconhecimento. Do capítulo 10, podem ser destacadas as vivências intituladas: *O jogo do silêncio, Autoavaliação, Autoconhecimento, Lidando com a preocupação e o estresse*. Em todas elas, o foco da análise é o próprio repertório social, juntamente com os CNVP e componentes encobertos desse desempenho.

A atribuição e análise das Tarefas Interpessoais de Casa constituem, também, estratégias importantes para a ampliação do conhecimento sobre o ambiente e sobre os próprios deficits e recursos. Nesse sentido, pode-se verificar que alguns participantes se surpreendem com a própria dificuldade em tarefas aparentemente simples ou com a facilidade em outras que julgavam mais complexas, desenvolvendo mais acuracidade nesse autoconhecimento.

PARTE III
PLANEJAMENTO E CONDUÇÃO DA PRÁTICA

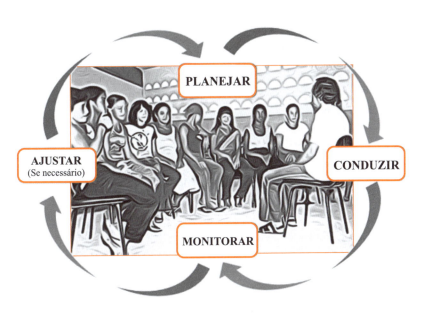

8.

PLANEJANDO UM PROGRAMA DE HABILIDADES SOCIAIS ORIENTADO PARA A COMPETÊNCIA SOCIAL

Quem estuda e não pratica o que aprendeu é como o homem que semeia e não lavra.

Provérbio árabe

O planejamento de um programa é um ponto essencial para sua efetividade. Um bom planejamento supõe: (a) clareza sobre a racional e características

> O planejamento deve ser flexível para permitir ajustes ao longo de sua condução.

do programa (o que é, quando é indicado, base teórica subjacente, procedimentos etc.); (b) características dos participantes, em termos de necessidades e recursos, com base em cuidadosa avaliação; (c) objetivos definidos e organizados com base em um portfólio; (d) condições de intervenção previstas para atingir esses objetivos.

Este capítulo apresenta, de maneira detalhada, as fases do planejamento de um programa vivencial de THS de caráter preventivo para jovens. Esse planejamento está organizado nas seguintes fases:

- Definição de objetivos do programa, incluindo os requisitos da Competência Social e a meta de generalização.

- Distribuição dos objetivos ao longo de sessões do programa.
- Planejamento de algumas sessões iniciais, intermediárias e finais do programa.

Precedendo esses aspectos, alguma previsão sobre estrutura e características formais do programa podem também contribuir para um bom planejamento. Por isso, o capítulo começa com esse assunto.

Estrutura dos programas vivenciais de THS

Vários aspectos da estrutura de um Programa Vivencial de THS em formato grupal precisam ser definidos previamente. Entre os itens básicos, podem ser incluídos: (a) número de participantes e suas características; (b) ambiente físico; (c) duração desejável/viável do programa e das sessões; (d) participação ou não de um coterapeuta.

Número de participantes e suas características

A análise dos programas de THS disponível na literatura mostra que eles apresentam muitos pontos em comum, mas também algumas diferenças. No caso de programas terapêuticos, eles se diferenciam principalmente em função do diagnóstico dos participantes (por exemplo, espectro autista, depressão, esquizofrenia, dependência química, problemas de comportamento etc.). Em todos os demais tipos de programas, as diferenças estão principalmente associadas a características sociodemográficas (como sexo, idade, escolaridade, tipo de trabalho etc.). Não obs-

tante essa variedade, algumas características estruturais que compartilham são explicitadas nas publicações.

Grupos terapêuticos, em geral, devem ser menores (por exemplo: pessoas com diagnóstico de esquizofrenia), enquanto os preventivos (promoção de saúde com grupo de adolescentes) e profissionais (pessoas em busca de emprego) podem ser maiores. Quando os clientes aceitam o atendimento em grupo, fatores demográficos como idade, sexo e tipo de problema devem ser considerados. No caso de jovens com queixa de timidez, por exemplo, o grupo poderia ser mais amplo (oito a doze participantes). O terapeuta deve avaliar a composição ideal ponderando também o quanto cada participante necessita de atenção individualizada e se conta ou não com a participação de um coterapeuta.

Os programas preventivos e profissionais são, em geral, conduzidos com grupos maiores, com cerca de 30 participantes, ou até mais no caso de atendimentos a empresas, escolas, sindicatos etc. Nesses programas, a heterogeneidade da clientela pode ser vista como uma vantagem, ao viabilizar contatos entre pessoas com repertórios diferenciados em função de gênero, idade, condição socioeconômica e educativa, papéis sociais, repertório prévio etc.

Uma alternativa ainda pouco explorada em nosso meio é a de grupos temáticos, como, por exemplo, aqueles em torno de determinadas Habilidades Sociais (falar em público, entrevista de emprego, recusa de drogas ilícitas, gerenciamento de equipes de trabalho etc.), de tarefas interpessoais próprias de determinada etapa da vida (Habilidades Sociais conjugais, Habilidades Sociais educativas para pais ou para professores, preparação para a aposentadoria, assertividade em idosos etc.) ou, ainda, associadas a transtornos ou problemas específicos (raiva/agressividade, timidez, depressão, problemas de aprendizagem etc.).

Ambiente físico

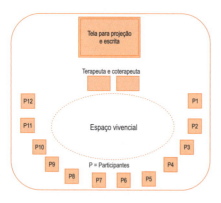

Figura 8.1. Ambiente físico do THS em grupo.

O ambiente físico de atendimento grupal deve ser organizado de modo a favorecer condições para sua efetividade. Alguns elementos do contexto grupal são ilustrados na Figura 8.1. Essa configuração foi projetada para grupos de oito a doze pessoas; contudo, outras configurações são possíveis, a depender do espaço disponível e do número de participantes. Conforme ilustrado, essa configuração do ambiente permite:

- Contato visual do terapeuta com todos os participantes.
- Contato visual entre os participantes do grupo.
- Mobilidade das cadeiras para diferentes arranjos vivenciais.
- Disponibilidade de um espaço vivencial.
- Equipamentos de som e imagem para apresentações instrucionais, música, vídeos etc.

Contrato inicial

O contrato inicial consiste em um acordo (oral e/ou escrito) de prestação de serviço entre o terapeuta e o cliente. No caso do atendimento clínico, o contrato, geralmente conduzido pela secretária, deve ocorrer antes da primeira sessão. O contrato estabelece a natureza do serviço, o compromisso entre as partes e as regras para o atendimento, tais como horários (início/término), dias da semana etc. Tratando-se de escola ou de qualquer instituição de atendimento a menores, o contrato inclui a autorização, por escrito, dos pais ou responsáveis.

Duração do programa e sessões

Prever a duração de um programa de THS tanto no formato grupal quanto no individual não é tarefa fácil. Ela depende da periodicidade e duração das sessões, bem como dos dados da avaliação inicial, em termos da extensão de recursos e deficits dos participantes em Habilidades Sociais e nos demais requisitos da Competência Social.

Grupos de crianças requerem maior investimento em atividades lúdicas e menor duração das sessões, enquanto que, com grupos de idosos, é necessário diminuir a duração das atividades, introduzindo pausas e verificando a compreensão sobre as atividades desenvolvidas. Nos programas grupais com adolescentes e adultos, a sessão pode ser planejada para cerca de duas horas. Com crianças e idosos, elas devem ser mais curtas. Programas de treinamento em empresas geralmente são concentrados em menor quantidade de encontros, porém, são mais extensos, conforme a necessidade e disponibilidade organizacional.

Participação de coterapeuta

No caso de THS em formato grupal, as sessões podem ser conduzidas por um ou dois terapeutas. A alternativa com dois terapeutas alcança bons resultados, pois:

- Otimiza o tempo da sessão, considerando a possibilidade de subdividir o grupo com atividades similares para cada facilitador.
- Permite troca de impressões entre os responsáveis e também divisão de tarefas e registros nas sessões e demais atividades entre sessões (avaliação e planejamento, por exemplo).

Tanto no atendimento individual como no de grupo pode ser recomendável envolver familiares, principalmente pais, eventualmente atendidos por outro profissional. Em relação ao(s) terapeuta(s), não se pode dispensar a formação especializada, tanto no conhecimento sobre técnicas terapêuticas como em relação ao campo teórico prático do THS. Os programas preventivos podem ser conduzidos por um facilitador, sob a orientação de um psicólogo.

Definição dos objetivos do programa

A definição dos objetivos para o grupo e para cada cliente é indispensável para selecionar os procedimentos e monitorar os resultados de um programa de THS. Os objetivos são derivados da avaliação inicial, sob o crivo de relevância e urgência. Atende-se com prioridade as Habilidades Sociais relevantes para o cliente, considerando as tarefas interpessoais de seu cotidiano e a melhora de sua qualidade de vida.

Conforme já referido, ao situar o conceito de Competência Social como norteador do programa, os objetivos necessariamente devem incluir os requisitos desse constructo. Tal avaliação deve permitir a identificação de:

- Principais papéis sociais e tarefas interpessoais cotidianas do cliente.
- Deficits e recursos do cliente em Habilidades Sociais sinalizados em seu portfólio.
- Comportamentos concorrentes à aquisição de Habilidades Sociais.
- Problemas e recursos nos demais requisitos de Competência Social.

Com essa "matéria-prima" é possível estabelecer objetivos relevantes para um programa de THS. Quando há comportamentos concorrentes, o terapeuta pode decidir não os incluir como alvo direto do atendimento, mas sim as Habilidades Sociais "substitutas". Por exemplo: a agressividade pode ser reduzida com a promoção de habilidades de empatia, automonitoria e expressão de afetividade positiva; a "impulsividade" pode diminuir sua frequência e intensidade com o desenvolvimento de habilidades de autocontrole e resolução de problemas interpessoais. Em outras palavras, em lugar de priorizar os excessos comportamentais, o terapeuta dá atenção a sua contraparte, os deficits.

Em programas de grupo, a relação de objetivos pode incluir aqueles que são compartilhados por dois ou mais participantes e os que são próprios a cada um deles. Para combinar esses dois conjuntos, são sugeridos os seguintes passos:

(1) Listar as tarefas interpessoais relevantes comuns a todos os participantes ou a pequenos grupos.

(2) Identificar deficits e recursos de cada um e da maioria dos participantes do grupo em Habilidades Sociais e nos demais requisitos da Competência Social.

(3) Converter deficits compartilhados pela maioria em objetivos comuns a todos, considerando tanto as habilidades como os demais requisitos da Competência Social.

(4) Organizar os objetivos do grupo em ordem crescente de complexidade considerando tanto as Habilidades Sociais como os demais requisitos de Competência Social.

(5) Revisar, ao longo das sessões e com base na avaliação continuada e de processo, a necessidade de incluir novos objetivos para determinados participantes e/ou de excluir outros objetivos já atingidos.

Quando a análise do portfólio mostra que algumas habilidades se apresentam deficitárias para a maioria dos participantes de um grupo, elas podem ser alvo de sessões especiais visando aquisições dessas Habilidades Sociais por todos. Em geral, os participantes compartilham deficits em alguns CNVP, em algumas habilidades básicas, empáticas, assertivas e de resolução de problemas, justificando sessões dedicadas especificamente à superação desses deficits com todo o grupo. E mesmo os participantes que não apresentem propriamente deficits podem se beneficiar muito do aperfeiçoamento dessas habilidades.

Distribuição dos objetivos em sessões do programa

De um modo geral, para cerca de 12 pessoas, os programas vivenciais de THS em grupos terapêuticos para indivíduos sem transtornos psicológicos apresentam efetividade com uma quantidade entre 15 e 18 sessões, com periodicidade de duas vezes por semana. No entanto, enfatiza-se que o programa deve se estender até que ocorra a superação de deficits relevantes identificados. No caso de programas vivenciais preventivos e profissionais o tempo seguramente será menor, dependendo dos objetivos estabelecidos.

Considerando um programa de THS grupal preventivo, de 12 sessões, apresenta-se uma proposta de organização de objetivos na Tabela 8.1. Nessa proposta, são reservadas quatro sessões para os objetivos da fase inicial, cinco para os da fase intermediária e três para as sessões finais. Essa organização constitui somente uma sugestão para facilitar a tarefa de planejamento do terapeuta, que pode e deve fazer as adaptações necessárias, de modo a ajustá-la às necessidades e possibilidades de seus clientes (por exemplo: ampliando objetivos de algumas sessões de modo a reduzir a quantidade delas). Isso pode significar diminuir a extensão de uma sessão, incluir ou reduzir objetivos, duplicar uma sessão, adaptar vivências para a faixa etária e características de seus clientes etc. A faixa etária dos participantes também deve ser cuidadosamente considerada nesse planejamento.

Tabela 8.1. Distribuição dos objetivos inseridos nas sessões iniciais, intermediárias e finais de um programa de THS com 12 sessões.

OBJETIVOS GERAIS	INICIAIS 1 – 2 – 3 – 4	SESSÕES INTERMEDIÁRIAS 5 – 6 – 7 – 8 – 9	FINAIS 10 – 11 – 12
Aperfeiçoar habilidades sociais básicas			
Aperfeiçoar a automonitoria			
Ampliar conhecimento do ambiente social			
Reconhecer/valorizar padrões de convivência			
Ampliar a variabilidade comportamental			
Ampliar o autoconhecimento			
Generalizar aquisições			
Melhorar a qualidade dos *feedbacks*			
Descrever/praticar CNVP			
Aperfeiçoar HS de empatia			
Praticar HS de empatia			
Praticar HS básicas, *feedback* e empatia			
Superar déficits individuais de HS			
Aperfeiçoar HS de assertividade			
Aperfeiçoar HS de resolução de problemas			

A proposta prevê a promoção dos requisitos da Competência Social em todas as sessões, desde a primeira, ainda que eventualmente com maior ênfase em algumas. Isso não significa que o terapeuta deve estabelecer condições específicas para cada um dos clientes em todas as sessões, mas organizar procedimentos de modo a incluir vários deles simultaneamente.

> Esses objetivos são planejados para todos os participantes, com maior ou menor ênfase, dependendo dos recursos e deficits de cada um do grupo.

Nas sessões iniciais, o foco recai sobre as Habilidades Sociais básicas (observar, descrever, relatar, elogiar, fazer e responder perguntas, relacionar desempenhos e condições em que ocorrem), uma vez que são componentes das outras habilidades e importantes para os demais requisitos da Competência Social. As Habilidades Sociais de empatia e de dar *feedback* também são focalizadas nas sessões iniciais, pois, juntamente com as básicas e de análise de contingências, são solicitadas pelo terapeuta nas demais sessões, em apoio ao processo de aprendizagem dos demais. Cabe lembrar que a generalização é também uma meta desde a primeira sessão e começa a ser promovida por meio das Tarefas Interpessoais de Casa.

A partir das sessões intermediárias, vão sendo inseridos objetivos relacionados aos deficits específicos dos participantes. Considerando que deficits nas classes de Habilidades Sociais assertivas e empáticas ocorrem de forma mais generalizada na população, estes foram inseridos como objetivos específicos na Tabela 8.1. No próximo capítulo, será exemplificada a condução de duas sessões com foco nessas habilidades.

Nas sessões finais mantém-se o objetivo de superar problemas dos participantes em termos de Habilidades Sociais e Competência Social, porém, com maior ênfase nos valores de convivência. Para isso, são incluídas atividades de reflexão e análise sobre as relações interpessoais no contexto cultural dos participantes.

Planejamento de cada sessão

O planejamento de cada sessão começa com a definição de seus objetivos. O esquema da figura não detalha os procedimentos, mas apenas focaliza as fases principais de uma sessão. Pode parecer óbvio, mas é importante enfatizar que atividades, procedimentos, recursos etc. são condições para atingir objetivos, e que, quando não suficientes, o terapeuta deve alterar o planejamento, buscando outras mais efetivas. Dito de outra maneira, vivências e demais atividades constituem um meio, e não fim. São os objetivos que devem guiar a seleção dos procedimentos e demais condições do programa, e não o contrário.

Exceto na primeira, o início da sessão é caracterizado pela "verificação" das Tarefas Interpessoais de Casa (TIC) atribuídas na sessão anterior. Além dos diferentes objetivos para o desempenho das TIC (referidos no capítulo 6), esse momento permite ao terapeuta avaliar e promover a qualidade do relato do participante sobre os próprios comportamentos e fatores associados. Trata-se de componente imprescindível do autoconhecimento, além da identificação de regras e normas do ambiente social (conhecimento).

Ainda na fase inicial, o terapeuta pode conduzir uma breve vivência buscando preparar os participantes para os objetivos e atividades da sessão. Conforme a Tabela 8.2, se o terapeuta avalia que alguns dos participantes não alcançaram o desempenho esperado na tarefa relatada, segue para um processo adicional visando atingi-lo. Se a dificuldade permanece, o terapeuta pode: (a) atribuir tarefas menos complexas; (b) realizar novos treinos, especialmente por meio de ensaio comportamental. Quando o desempenho na TIC for bom, segue-se para a parte central da sessão, que também pode incluir novos relatos, análise de contingência e *feedback*.

A parte central da sessão é a mais extensa e é reservada para as diferentes atividades, como vivências e exposição dialogada, exercícios, análise de trechos de vídeo etc. Ela deve ser planejada visando a consecução dos objetivos específicos de cada sessão. Quando o participante apresenta desempenhos satisfatórios, o terapeuta pode iniciar o treinamento de Habilidades Sociais novas, com base no portfólio. Também aqui, dependendo do desempenho, pode ou não ser necessário o uso de outros procedimentos – como Exercícios (E), Ensaios Comportamentais (EC) e Exposição Dialogada (ED) – antes de seguir para a fase final da sessão. Em alguns casos, é preciso "recriar" a situação do cotidiano do participante para melhor acessar seus desempenhos, observando: (a) pré-requisitos comportamentais; (b) dificuldades; (c) reações do ambiente ao desempenho da Tarefa Interpessoal de Casa. Nesses casos, pode-se utilizar *feedback*, modelação e modelagem e, após melhoras observadas, atribuir tarefa que requeira desempenho ligeiramente semelhante ao treinado.

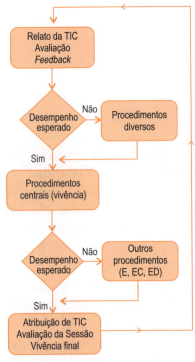

Figura 8.2. Diagrama de etapas de uma sessão de THS.

O final da sessão inclui geralmente duas atividades: (a) atribuição da Tarefa Interpessoal de Casa a ser verificada na próxima sessão; (b) breve avaliação da sessão. Na avaliação, o terapeuta pode solicitar *feedback* dos demais a algum membro do grupo que participou mais intensivamente de vivência ou exercício e, também, avaliação da sessão, destacando o avanço do grupo. De igual modo, pode conduzir uma vivência de encerramento, especialmente para promover o relaxamento e a coesão do grupo.

A questão da generalização

A generalização das aquisições deve ser planejada e monitorada desde o início do programa. Planejar a generalização significa prever e incluir, desde as primeiras sessões, procedimentos para

garantir ou ampliar a probabilidade de que as Habilidades Sociais novas ocorram em outros ambientes e com diferentes interlocutores. Para isso, pode-se destacar a importância de promover: (a) a variabilidade comportamental, que contribui para o ajuste do desempenho a diferentes demandas interativas, e (b) a sensibilidade do cliente às contingências do seu ambiente, que deve ser associada a uma análise de contingências em diferentes situações.

Nos programas de THS, vivências, análises de desempenho, ensaios comportamentais e Tarefas Interpessoais de Casa constituem estratégias favoráveis à ocorrência da generalização e devem ser utilizadas nessa direção. Em qualquer vivência, o terapeuta pode adotar estratégias para promover os quesitos (a), (b) e (c) do cliente em atendimento.

Do planejamento à condução

O planejamento geral do programa e de cada sessão constitui a base para sua condução bem-sucedida. Assim, antes de começar a condução propriamente dita de um programa, seja em formato grupal ou no individual, o terapeuta pode/deve checar seu planejamento. Para isso, pode usar um *checklist* que inclui resposta aos seguintes itens, adaptáveis a intervenção de grupo ou individual:

✓ Fiz uma boa avaliação do(s) cliente(s)?

✓ Disponho de uma estrutura favorável para a condução do atendimento: ambiente físico, arquivo ou caixa com textos e materiais, conhecimento mínimo do(s) cliente(s) que permite reuni-lo(s) em grupo?

✓ Organizei os resultados da avaliação em um portfólio dos deficits e recursos do(s) cliente(s)?

✓ Defini objetivos para cada participante com base no seu portfólio e objetivos comuns ao grupo todo?

✓ Organizei os objetivos em sessões procurando ordená-los de acordo com possível complexidade ou dificuldade para os participantes?

✓ Organizei as condições de intervenção para cada sessão?

Após a verificação desses itens, o terapeuta passa, então, à condução do programa. As orientações para isso são apresentadas no próximo capítulo, mas é importante enfatizar que, além de seguir o roteiro da sessão, o terapeuta deve ficar atento a dois aspectos críticos para a efetividade da intervenção: de um lado, os desempenhos apresentados pelo cliente; de outro, as oportunidades que podem surgir ou ser criadas para promover os requisitos da Competência Social. Portanto, a atuação do terapeuta é a chave para a efetividade de qualquer intervenção, e isso não é diferente no caso de programas vivenciais de THS.

9.

CONDUZINDO PROGRAMAS DE HABILIDADES SOCIAIS ORIENTADOS PARA A COMPETÊNCIA SOCIAL

> *Habilidades Sociais são as ferramentas que capacitam as pessoas a se comunicar, aprender, construir relações saudáveis e interagir com as pessoas que encontram em sua jornada de vida.*
> Dowd & Tierney

Neste capítulo são apresentadas orientações específicas para a condução de programas de THS, considerando o planejamento proposto no capítulo anterior. Antes de focar a condução das sessões propriamente ditas, são dadas orientações mais detalhadas para a condução de duas atividades que podem ser mais difíceis para o profissional iniciante nessa área: as vivências e as Tarefas Interpessoais de Casa. Para a condução das sessões do programa são sugeridas fichas de planejamento que orientam a atuação do terapeuta ou facilitador. Ao final, apresenta-se uma seção sobre a aplicação do THS no atendimento individual. O atendimento em grupo e o atendimento individual são ilustrados por meio da descrição de casos.

Conduzindo vivências

Ao estruturar uma vivência, o terapeuta ou o facilitador descreve, em linhas gerais, o contexto e, a partir dele, solicita à pessoa do Grupo de Vivência (GV) uma tarefa de desempenho, como, por exemplo, "Aqui é a casa de M, que está reunindo dez pessoas em um encontro de amigos. Alguns já se conhecem e estão conversando. Você chega e percebe que não conhece nenhum dos presentes. Sua tarefa interpessoal é fazer contato e superar o isolamento".

A maioria das vivências é estruturada como um problema para o cliente resolver por meio dos desempenhos. Tanto no THS em grupo como no individual, o terapeuta deve viabilizar várias tentativas de prática do participante em foco, consequenciando positivamente seus progressos parciais (procedimento de modelagem). Aos membros do Grupo de Observação (GO), o facilitador pede tarefas de observar o desempenho dos que estão na vivência, descrever seus comportamentos e/ou dar *feedback*.

Algumas vezes, guiado pela observação e por objetivos – prévios ou estabelecidos no momento – o terapeuta interrompe a vivência para:

- Consequenciar positivamente determinados desempenhos (elogio, comentário breve, *feedback*).
- Relembrar normas da vivência eventualmente não consideradas pelos participantes.
- Dar instruções específicas e em particular para um ou outro integrante da vivência ("técnica do cochicho").
- Recompor ou alterar a situação, aumentando ou diminuindo a dificuldade para um ou outro participante.
- Solicitar a algum membro do GO a descrição de desempenhos observados.

O procedimento específico para a condução de cada vivência já está descrito em cada uma delas (cf. capítulo 10). Ainda assim, o terapeuta pode efetuar pequenas alterações de modo a  ajustar elementos da situação aos objetivos previamente estabelecidos, levando em consideração os recursos e dificuldades do cliente. Por exemplo: as vivências análogas, que produzem contingências semelhantes às do cotidiano, podem gerar maior ansiedade em alguns participantes. Nesses casos o terapeuta tem as alternativas de:

- Incluir outro participante como foco do treinamento, que também se beneficiaria ao participar daquela situação específica.
- Interromper a vivência e consequenciar o desempenho do participante, permitindo-lhe que relate a dificuldade.
- Reduzir os requisitos imediatos, ampliando os níveis de exigência em pequenos passos.

Além desses procedimentos é importante graduar a inclusão de participantes com maiores dificuldades interpessoais. Para isso, clientes com deficits generalizados em Habilidades Sociais, alta ansiedade e história de pouco sucesso interpessoal são solicitados inicialmente apenas para colaborar em tarefas de menor dificuldade, como, por exemplo nas vivências cujo foco é o treinamento de outros. Para essas situações o terapeuta atribui tarefas de casa com exigências diferenciadas. Em todos os casos, é importante que o terapeuta apresente *feedback* positivo aos desempenhos e solicite isso de outros participantes. Para aqueles com melhor repertório, o terapeuta organiza condições que requerem desempenhos mais elaborados, com as quais os demais podem aprender por modelação.

Conduzindo Tarefa Interpessoal de Casa (TIC)

O momento de relato e análise das TIC requer procedimentos específicos. Recomenda-se iniciar com o terapeuta pedindo a um participante que diga qual foi a tarefa atribuída. Isso já permite verificar se de fato a instrução dada na sessão anterior foi corretamente compreendida. Na sequência, o terapeuta pode proceder com os seguintes passos:

- Verificar, entre os que realizaram a tarefa, quem gostaria de iniciar o relato.
- Consequenciar positivamente o relato de realização da TIC e os desempenhos conforme os objetivos do programa, eventualmente solicitando *feedback* de outro participante para aquele que está relatando.
- Oferecer orientações específicas ou conduzir ensaio comportamental nos casos de relatos referentes a desempenhos aquém do esperado, porém, sem apresentar *feedback* negativo.
- Conferir quem deixou de realizar a tarefa e o motivo para tal, registrando a justificativa dada, sem qualquer comentário.

A verificação da TIC pode tomar um tempo considerável da sessão. O terapeuta deve ter o cuidado de equilibrar esse tempo com as demais atividades previstas. Quando um participante está relatando a tarefa, o facilitador permanece atento aos seguintes aspectos:

- Qualidade da descrição do desempenho pelo participante.
- Contexto e condições imediatas antecedentes ao desempenho.
- Consequências do desempenho imediatas e prováveis em médio e longo prazo.
- Ansiedade e custo de resposta subjetivamente avaliado.
- Critérios de Competência Social alcançados na tarefa realizada.

Em alguns casos, para verificar o desempenho nas tarefas pode ser necessário estruturar um *role playing* em sessão, simulando a situação descrita e observando diretamente o desempenho do participante e de interlocutores. Esse procedimento é importante para "calibrar" o desempenho e o relato do desempenho, facilitando uma avaliação mais precisa da consecução das tarefas de casa.

Nas sessões iniciais, o terapeuta deve aceitar relatos de desempenhos ainda incipientes e, gradualmente, ir modelando o desempenho do cliente. A tarefa não deve ter custo muito alto para o participante, o que pode ser inferido por justificativas como: *Eu até fiz, mas foi difícil para mim...* Mesmo nas tarefas bem-sucedidas, o "custo de resposta" deve ser menor do que os resultados obtidos. Para isso, é essencial graduar as tarefas começando com as de maior probabilidade de consequências positivas. Esse procedimento pode evitar possíveis esquivas na forma de queixa, falta de oportunidade ou até de racionalização (cf. capítulo 6).

Organizando e conduzindo as sessões grupais do programa

Nesta seção são apresentadas algumas sugestões para a organização e condução das sessões de um programa de

THS preventivo destinado a um grupo de adolescentes de ambos os sexos, na faixa etária entre 16-18 anos. Cabe aqui destacar que:

- O plano de cada sessão é uma sugestão, devendo ser ajustado às características e necessidades dos participantes.

- O planejamento de cada sessão é importante para o sucesso do programa, juntamente com a qualidade da condução pelo terapeuta.

- Um plano de sessão (e também de programa) pode ser alterado em função de necessidades e *insights* do terapeuta durante sua condução.

- No plano apresentado são apontadas vivências para a consecução dos objetivos indicados: elas também representam sugestões que o terapeuta irá avaliar se são pertinentes ou não, levando em conta as características dos clientes.

O plano de cada sessão é apresentado adiante em uma *Ficha resumo* que contém: (a) Identificação da sessão, com numeração sequenciada, data, participantes e conteúdo a ser abordado; (b) Objetivos, com a listagem das Habilidades Sociais que serão promovidas e a identificação de possíveis comportamentos concorrentes que devem ser objeto de atenção; (c) Atividades a serem realizadas, como, por exemplo, nome de vivência ou exercício, tema da exposição dialogada, Tarefa Interpessoal de Casa a ser atribuída ou analisada etc. Em cada sessão, o terapeuta deve registrar o desempenho de cada um dos participantes e eventuais ajustes a serem feitos nas sessões subsequentes. Pode-se usar o verso da ficha para isso, ou outra forma que julgar mais prática para essa avaliação continuada e de processo.

> Para orientar a condução das sessões, optou-se por exemplificar sete de um plano de doze sessões, quantidade geralmente suficiente para um THS preventivo. Essas sete sessões incluem: as quatro primeiras, duas intermediárias e uma das finais.

A depender do contexto de aplicação e do repertório dos participantes, algumas sessões podem ser ampliadas ou reduzidas em seus objetivos, duração e quantidade. As vivências e exercícios referidos nas sessões são descritos em detalhe no capítulo 10.

Sessões iniciais

No atendimento em formato grupal, as sessões iniciais (definidas como 1 a 4, conforme Tabela 8.1 do capítulo anterior) são importantes para promover condições favoráveis de processo, tais como: o engajamento dos participantes, a exposição de dificuldades, o apoio mútuo e a coesão grupal. A coesão ocorre principalmente quando o terapeuta recorre preferencialmente ao *feedback* positivo entre os participantes, atribui TIC genérica nas primeiras sessões e solicita avaliação da sessão.

Em termos de aquisições, essas sessões devem promover: (a) Habilidades Sociais básicas, incluindo a de dar *feedback* positivo; (b) discriminação de demandas e análise de contingências associadas ao conhecimento e ao autoconhecimento (ainda em processo de sondagem); (c) decodificação e refinamento dos componentes não verbais e paralinguísticos (CNVP); (d) Habilidades Sociais empáticas. Nessa etapa, são recomendadas as tarefas interpessoais genéricas (para todos), voltadas para um "nivelamento" do repertório dos participantes nos objetivos antes referidos.

Segue a sugestão de plano e condução para quatro sessões iniciais, buscando contemplar esses objetivos. Para cada uma das sessões é feita uma breve descrição com esclarecimentos adicionais aos que foram resumidos na *Ficha da sessão*.

SESSÃO 1 Data: __/__/__ Participantes: _____
CONTEÚDO: contato inicial; informações sobre o programa; Habilidades Sociais básicas (observar, descrever, elogiar, agradecer elogios, autoconhecimento inicial).

Objetivos	Atividades
Estabelecer contato inicial com os demais participantes do grupo	V: *Crachás extensos*
Informar-se sobre o programa	ED: apresentação do programa
Elogiar e agradecer elogios Reconhecer elogios pertinentes	V: *Elogio é bom e eu gosto*
Observar/descrever/relatar Relacionar comportamentos a demandas	V: *Observando* ED: *Automonitorando*
Ampliar o autoconhecimento	V: *Autoavaliação* ou V: *Autoconhecimento*
Compreender a importância da TIC Elogiar (e objetivos comuns a todas as TIC, cap. 6)	ED: Importância e funcionamento da TIC Atribuição da TIC-1: Elogiar o comportamento de um familiar
Avaliar a sessão em base descritiva	Conduzir avaliação da sessão
Amenizar eventuais tensões da sessão	V: *Dançando conforme a música*

Siglas: V, Vivência; ED, Exposição Dialogada; TIC, Tarefa Interpessoal de Casa.

Em programas grupais, a sessão inicial constitui o primeiro momento de contato e interação entre alguns dos participantes. Por isso, sugere-se iniciar com a autoapresentação de cada um, incluindo informações adicionais como, por exemplo, atividades de lazer que realiza etc. Essa atividade pode também ser feita sob a forma de vivência, como a de *Crachás extensos*, em que cada um se apresenta, incluindo informações sobre, por exemplo, lazer, *hobbies* etc.

Na sequência o terapeuta deve fazer breve ED sobre o funcionamento do programa, a organização da sala em semicírculo e os objetivos do programa e da sessão. Também é o momento de responder eventuais dúvidas.

As vivências sugeridas e as exposições visam, inicialmente, promover o autoconhecimento, a automonitoria, a observação, identificação e análise de comportamentos abertos, bem como a inferência de encobertos, como pensamentos, crenças, autorregras, sentimentos, auto-observação e relato descritivo de comportamentos. Nas vivências, o terapeuta deve mediar as interações para que os relatos de alguns participantes não sejam alvo de crítica por algum colega, valorizando descrições objetivas, baseadas em fatos mais do que em inferências.

Outro objetivo que aparece desde as sessões iniciais é o de generalizar aquisições, conforme já referido. Isso é feito por meio da TIC. Logo na primeira sessão, o terapeuta expõe brevemente (ED) sua importância: (a) na consolidação das habilidades aprendidas na sessão; (b) como condição privilegiada de observação e auto-observação, complementada pelo relato na sessão seguinte; (c) na avaliação pelo participante sobre as aprendizagens realizadas. Para articular a TIC com os objetivos e desempenhos na sessão, a tarefa atribuída ocorre no contexto familiar, como, por exemplo, *Elogiar o comportamento de um familiar.*

Ao final, o terapeuta pede avaliação da sessão, o que constitui uma demanda para verificar e modelar relatos descritivos. Por exemplo: em lugar de *Gostei, foi legal!*, o terapeuta pede que especifique o que foi bom e por que gostou. No momento final também é importante garantir que todos estejam bem. A primeira sessão é de expectativa e receios, por isso, deve ser finalizada com atividade lúdica e relaxante. Sugere-se a vivência *Dançando conforme a música.*

SESSÃO 2   Data: __/__/__ Participantes: _____

CONTEÚDO: Habilidades Sociais de comunicação, *feedback*, autocontrole, analisar interações, fazer amizade, discriminar e liberar informações livres, ampliar conhecimento e autoconhecimento.

Objetivos	Atividades
Elogiar comportamentos de familiares (e objetivos comuns a todas as TIC, cap. 6)	Análise da TIC-1
Avaliar ansiedade pessoal e ampliar o autoconhecimento	V: *O jogo do silêncio*
Identificar HS de comunicação Identificar características do *feedback*	ED: Comunicação e *feedback*
Aprimorar *feedback*	E: Praticando o *feedback*
Iniciar e manter conversação, fazer perguntas pertinentes, apresentar informações livres, responder a informações livres.	V. *Fazendo amizades*
Aperfeiçoar autocontrole sobre desempenho (e objetivos comuns a todas as TIC, cap. 6)	ED: Autocontrole e Competência Social Atribuição da TIC-2: deixar no copo um pouco do que está ingerindo (água, refrigerante) Atribuição da TIC-3: dar *feedback* positivo a comportamento de um colega ou familiar
Avaliar a sessão em base descritiva Dar *feedback* a colegas	Conduzir a avaliação da sessão
Lidar com estresse, relaxar	V: *Lidando com preocupação e estresse*

Siglas: V, Vivência; E, Exercício; ED, Exposição Dialogada; TIC, Tarefa Interpessoal de Casa.

Na segunda sessão, o terapeuta dá início à atividade com a verificação da TIC atribuída na sessão anterior. Conforme referido, além dos diversos objetivos da TIC (capítulo 6), esse momento de análise permite, ao terapeuta, avaliar e ajustar a qualidade do relato do participante sobre os próprios comportamentos e variáveis associadas, o que contribui para o autoconhecimento e para a identificação de regras e normas do ambiente social. (Se necessário, rever seção anterior deste capítulo, *Conduzindo Tarefa Interpessoal de Casa*.)

Na sequência, o terapeuta conduz a vivência *O jogo do silêncio*. De maneira geral, essa vivência reproduz uma situação de dificuldade para que o participante discrimine o que se espera dele, favorecendo o autoconhecimento diante desse tipo de demanda. Nessa vivência o terapeuta deve ficar atento para lidar com a ansiedade dos participantes do Grupo de Vivência (GV). Na análise após a vivência, o terapeuta verifica o nível de ansiedade pedindo uma estimativa de 1 a 5. Discute como cada um lidou com a situação e se os participantes identificaram fatores que estariam gerando ansiedade. A vivência pode ser repetida com alguns membros do GO (Grupo de Observação), esperando-se, nesse caso, menor ansiedade. A comparação entre as duas estimativas de ansiedade fornece elementos de *insight* na explicação dessa alteração.

O terapeuta utiliza alguns dos desempenhos observados nessa vivência como exemplos iniciais na *ED Comunicação e feedback*. Na sequência, utiliza recursos de apoio visual para enfatizar, de forma breve e objetiva, as características do bom *feedback*. Por exemplo: com base no texto sobre o tema (capítulo 6), utiliza uma apresentação de *slides* seguida pelo E: *Praticando o feedback*, que deve ser exercitado no contexto da sessão.

Ainda no contexto das habilidades de comunicação, o terapeuta conduz a vivência *Fazer perguntas e amizades*, que inclui, também, treino de discriminação (especialmente em termos de informações livres e do *timing*) em interação social. Na sequência, o terapeuta articula o fechamento dessa vivência com o exercício de *feedback*, orientando para que os participantes pratiquem entre si também em momentos fora da sessão, com base no que foi visto durante a vivência.

Em seguida, o terapeuta faz breve exposição sobre o que é e a importância do *autocontrole* (cf. capítulo 2), atribuindo a seguir duas tarefas de casa. A primeira não é propriamente uma tarefa interpessoal. O objetivo, da mesma forma, é que os participantes constatem a dificuldade de romper com o automatismo em tarefas aparentemente simples. A segunda tem o objetivo de prática do *feedback* fora da sessão.

Para finalizar, após a avaliação da sessão, sugere-se a vivência *Lidando com a preocupação e o estresse*, que articula aspectos de autoconhecimento e de expressividade corporal/facial.

SESSÃO 3   Data: __/__/__ **Participantes:** _____
CONTEÚDO: Componentes Não Verbais e Paralinguísticos (CNVP); fazer amizades

Objetivos	Atividades
Praticar o *feedback* positivo (e objetivos comuns a todas as TIC, cap. 6)	Análise das TIC-2 e 3 ED: mnemônicos para a TIC
Manter contato visual	V: *Contato visual*
Compreender o papel dos CNVP	ED: CNVP
Praticar e decodificar CNVP	V: *Falando sem falar*
Ouvir atentamente e fazer amizades	V: *O que o meu colega me contou*
Monitorar CNVP Observar impacto do próprio comportamento sobre os demais (e objetivos comuns a todas as TICs, cap. 6)	Atribuição de TIC-4: Conversar com conhecido ou familiar alterando um CNVP e verificar impacto na interação.
Avaliar a sessão em base descritiva Dar *feedback* a colegas	Conduzir avaliação da sessão
Desenvolver afetividade no grupo	V: *Grupo afetivo*

Siglas: V, Vivência; ED, Exposição Dialogada; TIC, Tarefa Interpessoal de Casa; CNVP, Componentes Não Verbais e Paralinguísticos.

A sessão começa com relato e análise das TIC. Após os relatos das tarefas, o terapeuta inicia a primeira vivência

> Os CNVP devem ser alvos de atenção ao longo de todo o programa.

(*Contato visual*), que tem relação com o tema central e serve de "aquecimento". Em seguida, pode fazer uma breve exposição sobre os CNVP (Componentes Não Verbais e Paralinguísticos) com base no conteúdo apresentado no final do capítulo 2. Enfatiza que diferenças acentuadas com as práticas culturais podem dificultar a aceitação do indivíduo em outro grupo. Explica também como o conhecimento dessas práticas pode contribuir para a Competência Social. As duas vivências – *Falando sem falar* e *O que o meu colega me contou* – criam as condições para a análise e um aperfeiçoamento inicial da expressividade verbal e não verbal dos participantes.

A TIC atribuída (*Conversar com conhecido ou familiar alterando um CNVP e verificar impacto na interação*) permite a análise da importância dos CNVP, especialmente quando eles se apresentam deficitários. Após a avaliação da sessão, a vivência final (*Grupo afetivo*) deve manter o foco em condições de aproximação e coesão entre os participantes.

SESSÃO 4 Data: __/__/__ **Participantes:** _____	
Conteúdo: empatia e seus componentes	

Objetivos	Atividades
Praticar variabilidade nos CNVP (e objetivos comuns a todas as TIC, cap. 6)	Análise da TIC-4
Assumir a perspectiva do outro	V: *No papel do outro*
Compreender o significado de empatia Identificar características comportamentais, afetivas e cognitivas Discriminar e praticar os CNVP da empatia Desenvolver valores associados à empatia	ED: Empatia e HS empáticas E: *Optando pela empatia*
Avaliar a sessão em base descritiva Dar *feedback* a colegas	Conduzir avaliação da sessão
Demonstrar empatia e analisar desempenho (e objetivos comuns a todas as TICs, cf. cap. 6)	Atribuição da TIC-5: Demonstrar empatia a uma pessoa amiga ou familiar
Sensibilizar-se com valores de convivência	V: *O bem é bom*

Siglas: V, Vivência; E, Exercício; ED, Exposição Dialogada; TIC, Tarefa Interpessoal de Casa.

Após a análise da TIC-4, o terapeuta inicia a vivência *No papel do outro* (capítulo 10). Então, começa uma ED, pedindo que descrevam o que ocorreu, os CNVP que observaram na vivência e que avaliem a importância destes para "assumir a perspectiva do outro". Explica o significado dessa expressão enquanto um componente da classe de Habilidades Sociais denominado "empatia", diferenciando empatia, pró-empatia e pseudoempatia. Sugere-se o uso de material audiovisual, trechos de filmes, desenhos animados, notícias etc., além de material instrucional sobre o tema (cf. também A. Del Prette & Del Prette, 2001;

2005b). Há razoável quantidade de material disponível sobre empatia, incluindo pesquisas que mostram sua ocorrência também em animais de diferentes espécies, como chimpanzés, elefantes, cães e outros. O objetivo, nesse caso, deve ser não apenas a compreensão, mas também a sensibilização para valores de convivência orientados pela noção de empatia.

Na sequência, o facilitador conduz o exercício *Optando pela empatia*, organizando os participantes em duplas. Chama a atenção para os efeitos do desempenho dessa habilidade e explicita que a expressão da empatia pode contribuir na solução de dificuldades interpessoais. Conclui fazendo referência à importância da expressão de empatia também diante de acontecimentos positivos que ocorrem às pessoas.

Ao final, o terapeuta atribui a TIC da semana – de expressar empatia – e conduz a avaliação da sessão. Pode encerrar a sessão com a vivência *O bem é bom*.

Sessões intermediárias

As sessões intermediárias do programa (5 a 9, conforme esquema geral colocado no capítulo anterior) são dedicadas ao atendimento das dificuldades específicas de cada um dos participantes em termos dos requisitos de Competência Social. Se as primeiras sessões foram bem-sucedidas, o terapeuta já pode contar com as Habilidades Sociais básicas de todos na promoção do repertório de cada um. Mas cabe ao terapeuta mediar essa colaboração por meio de uma condução que envolva todos os participantes, agora com ênfase na superação dos deficits de cada um e na promoção dos requisitos da Competência Social.

Além da empatia e das habilidades básicas já contempladas nas sessões anteriores, geralmente a maioria dos participantes que busca ajuda profissional do psicólogo apresenta alguns problemas de deficits em habilidades assertivas e de resolução de problemas. Por isso, são apresentados os planos para as sessões 6 e 8 focalizando, respectivamente, essas duas classes. As demais sessões dessa fase intermediária poderiam enfocar outras dificuldades do grupo ou ampliar subclasses de assertividade e empatia.

SESSÃO 6 Data: __/__/__ **Participantes:** _____	
Conteúdo: assertividade e suas subclasses	
Objetivos	**Atividades**
(Objetivos da TIC da sessão anterior)	Análise das TIC da semana anterior
Reconhecer a relação entre direitos, deveres e assertividade	V: *Direitos e deveres*
Identificar características das HS assertivas Reconhecer diferentes classes de HS assertivas Diferenciar assertivas, não assertivas, agressivas Reconhecer riscos e desafios da assertividade	ED: Assertividade
Reconhecer respostas passivas e agressivas Praticar alternativas assertivas	E: Praticando respostas assertivas
Lidar com críticas (e objetivos comuns a todas as TICs, cf. cap. 6)	Atribuição da TIC: Ao receber uma crítica, escolher entre as alternativas: (a) aceitar se pertinente; (b) rejeitar parcialmente; (c) rejeitar totalmente.
Reflexão sobre a importância da assertividade	ED: Conduzir análise de trecho de um filme sobre assertividade
Demonstrar afetividade positiva como complemento da assertividade	V: *Expressando afeto*

Siglas: V, Vivência; E, Exercício; ED, Exposição Dialogada; TIC, Tarefa Interpessoal de Casa.

O terapeuta inicia a sessão com a condução dos relatos da tarefa de casa atribuída na sessão anterior. Pode, então, utilizar a vivência *Direitos e deveres* e, ao final, estabelecer relações entre os desempenhos na vivência e a temática da sessão. Com recursos de apoio (*slides*, trechos de filmes para análise e figuras) faz breve exposição sobre as classes e subclasses de HS assertivas. O terapeuta continua com o exercício de análise, escolha e elaboração de alternativas assertivas de *Praticando respostas assertivas.* Importante enfatizar e modelar o desempenho da assertividade em articulação com o de empatia. Em seguida, conduz a vivência *Expressando afeto* para salientar a importância de associar a empatia à assertividade. Atribui a TIC da semana, voltada para uma classe de assertividade.

O terapeuta pode apresentar algum trecho de filme que envolva assertividade (por exemplo, *Amanhã nunca mais*), pedindo que os participantes apliquem o que aprenderam na análise dos desempenhos dos personagens. Nesse caso, pode finalizar com a avaliação da sessão.

SESSÃO 8 Data: __/__/__ Participantes: _____	
Conteúdo: solução de problemas e tomada de decisões	
Objetivos	**Atividades**
(Objetivos da TIC da sessão anterior)	Análise das TIC da semana anterior
Elaborar alternativas de resposta diante de uma situação-problema	V: *Olhando onde pisa*
Compreender a racional do processo de resolução de problemas e as etapas necessárias para isso	ED: Solução de problemas e tomada de decisões
Praticar as etapas de resolução de problemas e tomada de decisão em grupo	V: *Resolvendo problemas interpessoais*

(continuação)

Avaliar a sessão em base descritiva Dar *feedback* a colegas	Conduzir avaliação da sessão
Resolver problemas, avaliar alternativas de solução de problema (e objetivos comuns a todas as TICs, cf. cap. 6)	Atribuição da TIC: Pense em um problema interpessoal que está vivendo, anote pelo menos duas alternativas para solucioná-lo, escolha e implemente a que achar melhor e avalie se foi efetiva e por quê.
Refletir sobre alternativas de comportamentos	V: *Nunca igual*

Siglas: V, Vivência; ED, Exposição Dialogada; TIC, Tarefa Interpessoal de Casa.

A condução dessa sessão não é diferente da condução das demais. Espera-se que o leitor já tenha se familiarizado com as bases da condução dessas etapas. Importante destacar que o processo de solução de problemas foi estudado na Psicologia, e que há propostas de análise e encaminhamento da solução testadas em situações controladas. Na condução da vivência, o processo é realizado em grupo, estabelecendo também demandas de coordenação de grupo. Para efeito de aprendizagem, é mais importante a prática do processo potencialmente efetivo do que o resultado final atingido pelo grupo. Esse deve ser o foco de atenção do terapeuta.

Sessões finais

Nas sessões finais (10 a 12), a aprendizagem dos requisitos da Competência Social deve estar bastante consolidada, incluindo a prática de habilidades assertivas e empáticas, além de uma maior prontidão do grupo em Habilidades Sociais básicas de apoio ao processo de intervenção. Por isso, esse é um momento particularmente propício para a reflexão sobre valores de convivência e para melhorar o conhecimento sobre normas culturais para a vida social. Nessa etapa também se pode prever maior tempo e condições, em cada sessão, para relatos de generalização e do impacto dos novos desempenhos no contexto natural.

| **SESSÃO 11   Data: __/__/__ Participantes:** _____ **Conteúdo**: valores de convivência ||
Objetivos	**Atividades**
(Objetivos da TIC da sessão anterior)	Análise das TIC da semana anterior
Identificar valores e interações mediadas por valores	V: *Valores nas interações sociais*
Reconhecer vieses de percepção e preconceitos Analisar impacto do preconceito sobre interações sociais Identificar alternativas para limitar ou reduzir preconceitos	V: *Vamos conhecer Pedrinho* (para crianças de 8 a 11 anos) ou V: *A história de Joana* (com adolescentes e adultos)
Valorizar a cooperação e o trabalho em equipe Refletir sobre valores de convivência	V: *O que podemos aprender com os gansos?*
Identificar interações cooperativas, dar *feedback* positivo, cooperar diante de demanda para isso (e objetivos comuns a todas as TICs. Cf. cap. 6.	TIC – Dar *feedback* positivo a uma pessoa que demonstrou cooperação TIC – Cooperar com pessoa desconhecida
Avaliar a sessão em base descritiva Dar *feedback* a colegas	Conduzir a avaliação da sessão
Sensibilizar-se com valores de convivência	RM: assistir mensagem envolvendo valores de convivência (*Gentileza gera gentileza*)

Siglas: V, Vivência; E, Exercício; TIC, Tarefa Interpessoal de Casa; RM, Recursos Multimídia.

Essa sessão inclui questões reflexivas que abordam problemas comportamentais relacionados a preconceito e julgamento. A temática pode ser iniciada com o relato da TIC da semana anterior. Em seguida, o terapeuta conduz a vivência *Valores nas interações sociais*, que deve "preparar" o grupo para *A história de Joana*. Essa é uma vivência que articula muitas das aprendizagens anteriores, tais como coordenação de grupo, análise de interações, *feedback*, exposição etc. Para grupo de crianças, ou pais/mães, pode ser usada a versão *Vamos conhecer Pedrinho*. Essas duas alternativas de vivências são longas e possibilitam uma reflexão interessante sobre preconceito. Conforme idealizado, o programa relatado se refere a um THS preventivo. Nesse caso, o terapeuta pode aprofundar a discussão trazendo dados de pesquisa sobre fatores que estão na base do preconceito.

Ao final, a TIC atribuída também envolve valorizar e demonstrar cooperação. Após a avaliação da sessão, o terapeuta pode finalizar com um vídeo de sensibilização: indicamos *Gentileza gera gentileza* ou alguma música sugestiva de cooperação.

Essa foi a última sessão arrolada como sugestão para um THS preventivo destinado a adolescentes de ambos os sexos, na faixa etária de 16-18 anos. Evidentemente, esse conteúdo representa uma amostra resumida de parte das sessões de um THS e, dependendo das características e necessidades dos participantes, o programa pode incluir várias outras mais. Entre um relato descritivo detalhado e orientações muito gerais, optou-se por selecionar o que é importante para o leitor interessado nesse tipo de intervenção.

Caso ilustrativo de THS em formato grupal

Programas de THS em formato grupal ou individual geralmente são relatados em artigos de periódicos (por exemplo, http://www.rihs.ufscar.br/artigos-em-periodicos/) e como capítulos de livros (cf. A. Del Prette & Del Prette, 2011), com ênfase nos resultados mais do que na descrição de casos. Para ilustrar, segue um exemplo de atendimento, no formato grupal, de um participante. Isso pode contribuir para melhor compreensão do processo por parte daqueles que estão iniciando na condução de programas de THS. Trata-se do atendimento de Jerusa (nome fictício), que participou de um grupo de THS conduzido pelos autores.

| **Histórico e queixas** |

Jerusa tinha 21 anos, fazia um curso técnico noturno de secretariado e morava com os pais, dois irmãos mais velhos (23 e 25 anos) e uma irmã menor de sete anos. O pai trabalhava como pedreiro enquanto a mãe, com a ajuda de Jerusa, cuidava dos afazeres domésticos. Os dois irmãos também trabalhavam como pedreiros. A casa onde residiam era de alvenaria, com três dormitórios, sala e cozinha. As queixas de Jerusa envolviam atrito com os irmãos que, na ausência do pai, estabeleciam o que ela podia ou não fazer sobre escolhas de roupas, amizades (só com meninas) e locais de passeios. Além disso, eles cobravam de Jerusa mais empenho nas tarefas domésticas, como lavar, passar roupa, fazer comida etc. O pai era severo e, na maioria das vezes, apoiava os filhos homens. Jerusa sentia-se infeliz e dizia não saber o que fazer.

| **Entrada no THS** |

Jerusa se candidatou ao THS para meninas entre 17 e 22 anos por meio de uma instituição de apoio a jovens de baixa renda. Conforme entrevista inicial e observação, Jerusa apresentava algumas dificuldades como: (a) baixa frequência de contato visual; (b) deficits de contatos sociais e de Habilidades Sociais de conversação e de amizade (fazer relatos, contar casos, envolver-se em brincadeiras etc.); (c) fala em tom queixoso; (d) tentativas frustradas de enfrentar o autoritarismo do pai e dos irmãos. Na lista de recursos pessoais e do ambiente, podia ser incluído o apoio discreto da mãe, a iniciativa de buscar emprego e a matrícula em um curso de secretariado.

A participação de Jerusa no grupo de THS era discreta. Ela raramente tomava iniciativa de conversar com as colegas. As primeiras Tarefas Interpessoais de Casa relatadas por Jerusa evidenciavam tentativa de esquiva, alegando falta de oportunidade, queixa de algum problema físico (dor de cabeça) ou brigas domésticas.

Evolução no THS

Sem esperar que Jerusa se oferecesse para participar das vivências, o terapeuta deu-lhe tarefas com pouca exigência nas primeiras vezes, com alguma colega do grupo. Suas primeiras participações foram elogiadas pelo terapeuta. Adicionalmente, Jerusa foi escolhida para participar da vivência *Feedback: como e quando* (A. Del Prette & Del Prette, 2001, p. 134), recebendo *feedback* positivo de alguns colegas. Na sequência mostrou-se interessada em participar de novas vivências. Ao final da sessão lhe foi atribuída a Tarefa Interpessoal de Casa: *Fazer uma pergunta, à sua escolha, a algum colega de seu curso, de preferência alguém com quem ainda não tenha conversado*. Foi-lhe ainda solicitado que, ao fazer a pergunta, olhasse para seu interlocutor. Na cobrança das tarefas em outra sessão alguém observou que "ela estava olhando para as pessoas". De fato, o contato visual já vinha sendo estabelecido via instrução e consequenciação positiva nas sessões.

À medida que Jerusa progredia no contato visual, a instrução "olhar nos olhos" foi retirada. Na sessão seguinte Jerusa estava satisfeita por ter feito a tarefa e iniciado a aprendizagem de análise de contingências, descrevendo seu comportamento e o do interlocutor. Quanto à "fala chorosa", uma colega com articulação verbal adequada colaborou como modelo em um *role playing* sobre interações com familiares em que esse tipo de fala era mais acentuado. Jerusa alterou o tipo de fala também pela compreensão de que deveria enfrentar as situações "sem esse tipo de apelo". O terapeuta se dedicou, então, a ensinar Jerusa e outras colegas a efetuarem análise de contingências, colocando--as para participar de novas vivências, nas quais também foram aprimoradas Habilidades Sociais básicas (descrever comportamentos, fazer perguntas, responder perguntas etc.). Jerusa solicitou "aprender a lidar com os familiares", o que era objetivo da maioria das jovens. Foi nessa fase que o terapeuta explicou a importância do conceito de "ganha-ganha", introduzindo vivências apropriadas para interações com ganhos recíprocos. Também foram dadas tarefas de casa envolvendo reciprocidade positiva na negociação com os pais quanto à escolha das próprias roupas e das amizades tanto para estudar quanto para passear.

Alguns resultados Em resumo, Jerusa aprendeu um conjunto de Habilidades Sociais novas, cujas consequências eram positivas, porque ela foi treinada (especialmente por meio de modelagem e modelação) a "ensinar" as pessoas de seu ambiente social a observar seus comportamentos e a consequenciá-los positivamente. Modificou também o estilo da fala, melhorou consideravelmente o contato visual e deixou de fazer queixas durante as conversas. No grupo, passou a ser mais procurada e, com frequência, elogiada pelos colegas. Uma semana antes do encerramento Jerusa relatou ter obtido emprego em uma loja de departamentos, o que motivou uma festinha comemorativa do grupo.

Organizando e conduzindo THS no atendimento individual

No contexto de atendimento clínico individualizado, o planejamento do THS – tanto nos procedimentos de avaliação (entrevistas, observação, uso de inventários) quanto nos de intervenção (modelagem, modelação, instrução, *role playing*, ensaio comportamental e tarefas de casa) – são semelhantes ao processo de grupo (cf. Kelly, 2002). A aquisição de Habilidades Sociais novas, bem como o aperfeiçoamento daquelas que o cliente já possui e a diminuição de comportamentos concorrentes irão envolver também os processos de aprendizagem por instrução, modelação e consequenciação. Esses processos devem ser promovidos em estreita articulação com a prática, dentro e fora da sessão. Não obstante algumas similaridades com o atendimento em grupo, o atendimento individual requer algumas adaptações, em particular no caso das vivências.

Assim como no THS em grupo, no individual é também importante o acesso do terapeuta ao desempenho do cliente. Três técnicas para isso devem ser mencionadas: *role playing*, ensaio comportamental e vivências. No atendimento a crianças, algumas vezes as vivências possibilitam acesso também aos comportamentos de pais, quando há oportunidade de eles participarem.

Como usar vivências no atendimento individual

Algumas adaptações podem ser necessárias em relação a vivências e exercícios produzidos para o trabalho em grupo. Dentre os apresentados no capítulo 10, alguns são mais facilmente adaptáveis ao atendimento individual.

Ao adaptar vivências, o terapeuta pode assumir diferentes papéis na interlocução com o cliente. Por exemplo: a vivência *Fazer amizade* (capítulo 10) pode ser conduzida com o terapeuta atuando como interlocutor do cliente, usando as questões da vivência e orientando o cliente sobre fornecer, discriminar e aproveitar informações livres na interação. Nas vivências que contêm textos para análise e reflexão, o terapeuta pode entregar o texto ao cliente e discutir o conteúdo na sessão seguinte. Os exercícios de análise de interações e elaboração de alternativas de Habilidades Sociais – como o *Optando pela empatia* e o *Praticando respostas assertivas* – podem ser realizados em sessão, no caso de adolescentes e adultos, com o terapeuta escolhendo aqueles itens mais pertinentes às dificuldades do cliente.

No atendimento à criança (cf. exemplo ao final do capítulo), o terapeuta pode solicitar, quando possível, a participação da mãe, do irmão e de algumas amigas disponíveis para adequar algumas brincadeiras e vivências. Por exemplo: na vivência *Tá quente, tá frio*, um objeto era escondido em um ambiente da casa (cozinha, quarto) no qual a criança se recusava a entrar sozinha. Nesse caso, primeiramente uma colega entrava naquela dependência e, após "dicas" do *Tá quente, tá frio*, localizava o objeto, sendo aplaudida pelos demais ou elogiada pelo desempenho. Após a exposição ao "modelo", era solicitado à cliente para também localizar outro objeto escondido naquele quarto. O terapeuta ficava a distância indicando verbalmente "tá frio" ou "tá quente", sem se aproximar do local. Ao completar a tarefa de maneira semelhante ao modelo, a cliente também era consequenciada positivamente. Nenhum comentário (por exemplo, "Antes você não entrava aí sozinha") era feito. Nessa vivência, os familiares eram instruídos a observar como o terapeuta se comportava.

Uso de outras técnicas, procedimentos e recursos

Os procedimentos de *role play* podem ser usados como forma de acesso aos desempenhos do cliente, no contexto ou na sequência de alguma vivência. Isso facilita ao terapeuta: (a) acessar os desempenhos do cliente, em interação, comparando-o com seus relatos; (b) auxiliar o cliente na auto-observação e ajuste do relato (descrição do que fez e como fez) a seu desempenho observado; (c) modelar o relato e a análise do cliente sobre as contingências nas interações. Considerando a interlocução restrita ao terapeuta, este pode assumir papéis e, também, adotar personagens para algum momento propício como, por exemplo, do chefe, do colega, do pai, do professor etc.

Outra técnica que o terapeuta pode utilizar com bastante proveito é o ensaio comportamental (cf. capítulo 6), visando o aperfeiçoamento dos comportamentos-alvo do cliente praticados em sessão e contingenciados pelo terapeuta. Essa técnica é importante para modelar o desempenho do cliente em direção aos objetivos de aprendizagem de Habilidades Sociais para as tarefas relevantes de seu cotidiano.

Recomenda-se uma atenção especial do terapeuta para Tarefas Interpessoais de Casa. No atendimento individual, elas são relatadas, na maioria das vezes, somente ao terapeuta, mas podem ter algumas das funções que foram previstas para programas grupais, conforme explicitado em capítulos anteriores. Em se tratando de atendimento à criança, tarefas interpessoais de casa podem ser atribuídas à criança e a seus pais (mãe, na maioria das vezes). Durante ou em seguida ao relato e *feedback* dessas tarefas, o terapeuta pode conduzir uma discussão e eventualmente realizar ensaio comportamental visando: (a) corrigir alguns aspectos do desempenho do cliente, como, por exemplo, contato visual; (b) promover melhor ajuste entre o desempenho e o relato do desempenho; (c) introduzir outro participante de maneira simbólica (por exemplo: repita isso como se sua mãe estivesse presente).

As atividades instrucionais, especialmente a Exposição Dialogada, podem fazer parte do atendimento individual, contudo, de maneira mais restrita, na forma de uma conversa. Nesse caso, sugestões de leituras relativas a Habilidades Sociais, bem como uma breve explicação dos conceitos podem ser úteis para diferentes tipos de clientela. Na intervenção com crianças, o terapeuta pode recomendar leituras ou recursos (filme educativo, jogos, livretos) aos pais, ou aos professores e outros significantes (pode-se sugerir, por exemplo, livros de atividades, jogos e leituras, filmes etc.). Na intervenção com adolescentes ou adultos, a recomendação de livros também é um recurso a ser considerado.

Os recursos multimídia, especialmente trechos de filmes e de vídeos curtos, devem ser considerados como material útil para discussão e orientação nas sessões. Isso frequentemente permite que o terapeuta verifique crenças e valores do cliente sobre personagens e sobre o quanto seu comportamento se aproxima ou se distancia do desempenho dessas crenças e valores. Em alguns casos, especialmente com adolescentes e adultos, podem ser indicados filmes para assistir em casa. Alguns trechos de filmes comerciais podem ser utilizados, tais como: (a) modelo para desempenhos a serem praticados em sessão; (b) análise de desempenhos inadequados para o treino de discriminação de demandas, situações, normas sociais etc.; (c) reflexão sobre valores de convivência e critérios da dimensão ética.

Caso ilustrativo de THS em formato individual

No caso de crianças, o uso do THS pode, eventualmente, incluir interlocutores, de modo a facilitar procedimentos que envolvem interação. Para isso, colegas e familiares são convidados, tanto no atendimento em consultório como em instituição (por exemplo, escola) a participar de algumas sessões. Como exemplo, descreve-se resumidamente aqui o atendimento a uma criança (Del Prette, 2012).

> **Histórico e queixas**

Uma menina com oito anos de idade foi trazida pela mãe à sala de atendimento psicológico com a queixa principal de que a filha "via a avó", falecida há alguns meses. A mãe adiantou ainda que a criança: (a) recusava entrar em ambientes (quartos) da casa sem companhia, pois temia a presença da avó; (b) falava sobre esse assunto constantemente; (c) evitava o contato com as colegas da escola; (d) brigava com um irmão mais velho que zombava dela. A direção da escola informou que a criança piorou o rendimento acadêmico e mantinha-se na maior parte do tempo isolada.

> **Atendimento**

Além das duas sessões dedicadas à avaliação com a família e com a própria criança, foram realizadas mais duas sessões na sala de orientação da escola, abordando principalmente a amizade entre avós e netos. Adicionalmente, quatro sessões ocorreram na residência da criança com participação de algumas de suas amigas, convidadas por ela, realizando uma das tarefas atribuídas pelo terapeuta. Foram utilizados procedimentos de dessensibilização, modelagem, modelação e instrução associados a atividades lúdicas, como a vivência *Tá frio, tá quente* (capítulo 10). Além de orientação aos pais, instruiu-se o irmão para interromper as zombarias.

Resultados obtidos

Relato da escola e dos pais indicou decréscimo e posteriormente supressão de verbalizações sobre medo de possível aparição do espírito da avó. Além disso, a criança passou a utilizar, sozinha, os espaços da casa antes evitados. Na escola, melhorou o rendimento acadêmico e recuperou os contatos com amigas e colegas, recebendo-os em grupo em sua casa para atividades variadas.

Follow-up (Seguimento)

Após dois meses, foi feita uma verificação com a família (mãe e irmão), além de breve entrevista com a criança e com a professora. Os informantes relataram a manutenção das aquisições promovidas pelo atendimento. Além disso, o contato com a criança evidenciou novas aquisições do tipo: (a) melhor fluência verbal; (b) relatos de acontecimentos lúdicos na escola; (c) relatos de melhora na aprendizagem escolar.

Observações adicionais

Esse caso se enquadra de forma bastante sugestiva na utilização do THS como intervenção principal (cf. capítulo 5). A aprendizagem de Habilidades Sociais novas aumentou o contato com colegas da escola, diversificando os assuntos de conversas e as brincadeiras com outras crianças. Os comportamentos concorrentes do tipo falar sobre a "morte da avó" ou "aparição" declinaram, uma vez que a atenção dos familiares e professores foi direcionada para as habilidades de conversar sobre as tarefas escolares e para relatos de encontros e de brincadeiras com as amigas. A atenção deixou de ocorrer também como consequência aos comportamentos de: (a) exigir a presença de alguém para entrar em algum ambiente isolado; (b) provocar o irmão e (c) evitar colegas da escola.

Análise final do terapeuta

Ao terminar uma sessão, o terapeuta não encerra seu trabalho. Ao contrário, cada sessão sempre fornece novos elementos para análise e decisões sobre o programa como um todo e, em particular, sobre a próxima sessão. Registrar um resumo da sessão com as aquisições significativas de cada participante e os eventuais novos deficits identificados pode significar alterar a próxima sessão e até mesmo reestruturar o programa.

Uma análise importante do terapeuta refere-se a seu próprio desempenho. Aqui, caberiam algumas questões, e certamente a mais importante delas é: Estou conseguindo promover as aquisições relevantes e de forma diferenciada conforme as necessidades dos participantes? A resposta a essa questão não pode ser baseada em uma impressão geral, mas no desempenho de cada um dos participantes. Ela pode levar a outras como:

- ✓ Estou sendo suficientemente claro nas explicações?
- ✓ Consigo identificar novas dificuldades de cada um dos participantes?
- ✓ Estou distribuindo atenção de forma razoavelmente equilibrada entre os participantes?
- ✓ Há indicadores de relação de apoio entre os participantes?
- ✓ Percebo indicadores de aliança terapêutica com o grupo e com cada um dos participantes?
- ✓ Ocorreram indicadores de generalização das aquisições para fora das sessões?
- ✓ Verifiquei que as aquisições estão sendo relevantes para as tarefas sociais de cada participante?

Essas reflexões são importantes e fazem parte da análise de processo que deve conduzir aos resultados finais desejados. Para isso, após resumir a sessão e responder a essas questões, o terapeuta pode: (a) registrar lembretes importantes para a próxima sessão; (b) definir tarefas de casa personalizadas para diferentes participantes; (c) anotar temas ou fatos para abordar na sessão seguinte.

Em termos de consecução dos objetivos, não basta apenas considerar relatos espontâneos do tipo "Estou gostando muito de participar". É essencial conferir se os objetivos estão se convertendo nas aquisições esperadas ao longo das sessões e se as condições estabelecidas, destacando-se a atuação do terapeuta, estão sendo suficientes e relacionadas com esses resultados.

10.

VIVÊNCIAS E OUTRAS ATIVIDADES PARA PROGRAMAS DE HABILIDADES SOCIAIS

É o tempo da travessia
E se não ousarmos fazê-la
Teremos ficado para sempre
À margem de nós mesmos.

Fernando Pessoa

As atividades utilizadas nos planos de sessão (capítulo 9) são apresentadas, a seguir, agrupadas nos conjuntos de: (1) Vivências de início e término da sessão; (2) Vivências centrais da sessão; (3) Exercícios de análise e prática. A maioria das vivências pode ser adaptada ao atendimento individual.

Todas as atividades podem ser utilizadas nos programas de THS, mas devem ser selecionadas conforme os objetivos dos mesmos. Elas podem também ser aplicadas em outros processos educativos em contexto escolar, de trabalho, de saúde etc. Ao longo das vivências, foram adotados os termos terapeuta e facilitador como referência ao profissional que está conduzindo a atividade. Esse profissional deve preferencialmente ser de Psicologia, mas pode ser de áreas afins, desde que devidamente capacitado para a condução desses programas.

Vivências de início e término de sessão

1. Crachás extensos

O facilitador entrega a cada participante, no início da sessão, um crachá com linhas indicando lacunas a completar, conforme ilustrado ao lado. Pede que escrevam o próprio nome (não o sobrenome) em letra de forma bem visível e que caminhem no centro da sala, observando os demais e seus nomes.

Nome: _____
Passatempo: (a) _____ (b) _____
Habilidade: (a) _____ (b) _____
Comida: _____ Filme: _____

Depois, pede que cada um troque o crachá com um dos colegas, com o qual teve pouco contato, e que preencha a lacuna (a) de "Passatempo", imaginando qual seria o do dono do crachá. Pede que todos caminhem um pouco mais e que efetuem nova troca de crachás, mas ainda sem pegar o próprio crachá. Agora devem preencher a lacuna (a) de "Habilidade" do dono do novo crachá. Depois disso, pede que cada um procure o seu próprio crachá e indique com C (certo) ou E (errado) as suposições dos colegas. Para as suposições incorretas, preenche a informação correta na lacuna (b). Na sequência, pede que encontrem os colegas que preencheram seu cartão, parabenizando os possíveis acertos e conversando sobre filmes e comidas preferidas, completando também esses itens no crachá.

2. Elogio é bom e eu gosto

O terapeuta pede a cada um que olhe para o colega ao lado e escolha algo que considera pertinente elogiar. Indica uma das pessoas para fazer o elogio e solicita aos demais para observarem e avaliarem a qualidade do elogio (direção do olhar, expressividade verbal e não verbal, concisão, aspecto elogiado etc.). Logo após o primeiro elogio, observa se atendeu aos requisitos e dá *feedback* sobre o "elogiar", chamando a atenção aos aspectos positivos do desempenho. Verifica também se o outro agradeceu adequadamente, aceitando sem justificar e sem negar o elogio. Se sim, faz referência a isso, dando *feedback* ao elogiado; se não, fala brevemente sobre a importância de aceitar e agradecer elogio e continua a atividade com os demais. Continua indicando outros para a tarefa de elogiar e, além de dar *feedback*, pode pedir a alguém do grupo que o faça, ora para o que elogiou, ora para o que foi elogiado. Dependendo do tamanho do grupo, o terapeuta pode formar duplas para fazer elogio. Também pode recorrer a duplas caso alguém tenha dificuldade em selecionar algo do outro para elogiar.

3. Observando

A sala é organizada com os participantes em círculo, mantendo-se um espaço no centro. O facilitador pede para os participantes andarem nesse espaço, sem se tocarem ou chocarem. Após alguns segundos, orienta para andarem: na ponta dos pés (aguarda cerca de 30 segundos), depois nos calcanhares (30 segundos). Solicita que cada um observe discretamente um dos colegas do grupo, à sua escolha. Repete a sequência, retornando ao caminhar usual e, então, acrescenta a mesma tarefa de observarem um colega enquanto caminham. Após isso, verifica: (a) se a pessoa observada identificou quem a observava; (b) em qual condição foi mais fácil observar; (c) se ser observador afetou o desempenho.

4. Dançando conforme a música

O facilitador coloca uma música (estilo ligeiro) incentivando os participantes a acompanharem, com o corpo, o ritmo, dançando ou movimentando os braços e outras partes do corpo ou, ainda, "regendo" os movimentos do grupo de acordo com a música. Após algum tempo, avisa que vai interromper a música e que todos devem permanecer totalmente imóveis, na posição do momento de finalização do som. O facilitador toca nos participantes, verificando se conseguem se manter imóveis, como estátuas. Em seguida, introduz outra música (lenta), na qual o grupo deve reagir de maneira oposta, ou seja, ficar bem relaxado, com movimentos vagarosos. Na sequência o facilitador intercala as músicas, exigindo alterações rápidas nas respostas dos participantes. Como variação, esta vivência pode ser feita em dupla.

5. Contato visual

O facilitador solicita inicialmente que os participantes caminhem pelo espaço da sala, ao som da música lenta, evitando, entretanto, o andar em círculo. Enquanto isso observa como está ocorrendo o contato visual entre eles. Interrompe a música pedindo que os participantes permaneçam imóveis. Relata ao grupo suas observações sobre o caminhar e o contato visual e destaca a importância deste, além das diferenças em relação a gênero, idade e classe social. Solicita que o grupo volte a caminhar sob o som de uma música mais ligeira e que cada participante, ao cruzar com outro, mantenha contato visual. A atividade, agora, deve ser mais rápida. Interrompendo a música, pede que todos retornem aos seus lugares e verifica se alguém encontrou dificuldade em manter contato visual. Caso algum participante relate dificuldade, é instruído e solicitado a exercitar essa habilidade.

6. Grupo afetivo

O facilitador pede que o grupo, em pé, posicione-se em uma sequência formando uma linha, cada um tocando o ombro do outro. Depois, que todos sincronizem leve movimento para a esquerda e para a direita como se fosse um pêndulo. Quando já estiverem sincronizados, pede que fechem os olhos e "sintam-se" como um grupo.

7. No papel do outro

O terapeuta ou facilitador pede que todos caminhem normalmente pelo espaço da sala. Depois, pede que assumam papéis, procurando pensar e sentir como os personagens que encarnam: o papel de seus pais, de filhos que têm ou ainda vão ter, de uma mulher grávida, da própria mãe grávida esperando pelo seu nascimento... Cada um desses papéis pode ser feito separadamente, com discussão e análise dos sentimentos, sensações e pensamentos a eles associados. Caso o grupo expresse desejo de discutir a vivência, o facilitador pode aceitar breve reflexão sobre a experiência de cada um.

8. O bem é bom

O facilitador pede que os participantes fiquem em silêncio, relaxem e imaginem que estão em algum lugar muito bom, fazendo alguma coisa que sabem fazer muito bem (uma atividade, uma brincadeira, uma conversa com alguém etc.). Após algum tempo, o facilitador pede para abrirem os olhos e relatarem o que imaginaram. Depois, pede que relaxem novamente e imaginem-se fazendo alguma coisa boa para alguém. Depois de um tempinho, interrompe o processo e pergunta qual foi a diferença entre o primeiro e o segundo momento.

9. Olhando onde pisa

O facilitador solicita ao grupo que caminhe descalço pela sala, procurando observar bem o contato dos pés no assoalho (chão). Depois vai alterando as solicitações, sempre esperando alguns segundos para o grupo experimentar o que sugere que imaginem pisar sobre: (a) pedras pontiagudas; (b) grama fofa; (c) asfalto quente; (d) a superfície da lua sem gravidade. Ao final, solicita que descrevam as sensações e as mudanças que ocorreram na postura.

10. Expressando afeto

O facilitador solicita que os participantes se coloquem em círculo e escolham aquele que se envolveu mais na sessão, pedindo que ocupe o centro. Depois pede que os demais expressem sentimentos positivos em relação a ele, primeiramente de maneira não verbal e, depois, verbalmente (por exemplo: afetividade, votos de confiança, de coragem etc.). Essa vivência é especialmente importante para encerrar vivências nas quais uma das pessoas foi alvo de demandas mais ansiógenas.

Vivências para a fase central da sessão

11. Automonitorando

Objetivos

✓ Reconhecer que os comportamentos geram consequências

✓ Identificar consequências para comportamentos e relacioná-las aos critérios de competência social

✓ Fazer escolhas em função das consequências

✓ Assistir vídeo ilustrativo de interação (sugerimos trecho do filme *Melhor é impossível,* no qual o personagem central leva sua namorada para jantar)

Material

✓ Texto de apoio

Meu comportamento afeta os demais e a mim

Pais e professores procuram ensinar às crianças que os comportamentos produzem consequências nos ambientes físico e social. Algumas consequências de nossos comportamentos sobre o ambiente físico são aparentemente fáceis de ser observadas quando em situação restrita, como acontece, por exemplo, com o corte de uma árvore em local onde existe apenas uma. Contudo, avaliar as possíveis consequências de abater muitas árvores de uma floresta pode ser mais complicado.

No ambiente social, a consequência do comportamento de uma pessoa é o comportamento da outra. Por exemplo: Paulo cumprimenta Francisco: "Bom dia, Paulo", e este lhe responde "Bom dia, Francisco". Qualquer observador pode inferir que: (a) as duas pessoas se conhecem; (b) a pessoa chamada por Paulo tomou a iniciativa na interação; (c) aparentemente os comportamentos foram semelhantes e podem ser classificados como Habilidades Sociais de cumprimentar.

Como no exemplo, alguns comportamentos sociais permitem uma identificação quase que imediata das consequências. São os comportamentos de aproximação entre pessoas que se conhecem, as habilidades de fazer e responder perguntas, cumprimentar, oferecer uma cadeira para alguém se sentar, aceitar a oferta de algum comestível, chamar a atenção para algum acontecimento etc.

Procedimento

T faz breve explicação com base no texto de apoio. Então pede ao grupo que identifique consequências positivas ou negativas para alguns comportamentos, tais como: (a) pedir licença para entrar em um ambiente; (b) fazer uma brincadeira de "mau gosto" com um amigo; (c) oferecer-se para colaborar em atividade de apoio às vítimas de uma tempestade.

Para finalizar, apresenta um pequeno vídeo e pede que os participantes identifiquem como o comportamento de cada um dos interlocutores afetou aos demais.

12. Autoavaliação

Objetivos
Específicos
- ✓ Descrever o próprio comportamento
- ✓ Identificar componentes da tarefa interpessoal

✓ Efetuar análise de antecedentes e consequências de comportamentos

✓ Reconhecer sentimentos que afetam o desempenho

✓ Falar de si mesmo

Complementares

✓ Identificar situações interpessoais críticas e prazerosas

✓ Identificar comportamentos gratificantes e aversivos

✓ Compartilhar situações, dificuldades e facilidades interpessoais

Material

✓ Texto de apoio (perguntas)

1. Quais as situações em que fico satisfeito(a) com meu desempenho social?
2. Quais as situações em que fico insatisfeito(a) com meu desempenho social?
3. Quais comportamentos de meus colegas e amigos são mais gratificantes para mim?
4. Quais dos meus comportamentos são mais gratificantes para as pessoas de minha convivência?
5. Quais de meus comportamentos são mais desagradáveis para as pessoas de minha convivência?

Procedimento

O facilitador inicia com um breve relaxamento dos participantes. Então entrega a ficha e pede que respondam individualmente, sem falar, às questões da lista. Depois pede que cada um apresente aos demais a resposta à primeira pergunta, atentando para as similaridades entre os participantes. Procede da mesma forma com cada uma das perguntas seguintes.

Terminada essa etapa, pede que alguém do grupo exponha quais foram as respostas mais similares e as mais inesperadas ou diferentes.

Observações

- ✓ O facilitador deve, discretamente, registrar os participantes que têm maior dificuldade para falar de si mesmos, buscando, com tarefas personalizadas e/ou outras vivências, ajudá-los a superar essa dificuldade.
- ✓ A Tarefa Interpessoal de Casa deve ser objeto de atenção no início da sessão seguinte, com o facilitador utilizando os procedimentos próprios dessa atividade.

Variações

Uma variação interessante é realizar a vivência no formato de painel, colocando a metade – ou uma parte – do grupo à frente, enquanto os demais se encarregam de realizar as perguntas, invertendo-se, depois, a situação.

Outra variação é usar o contexto de "pinga-fogo", porém, com dois ou três participantes no centro e os demais à volta, em círculo. Alguém do círculo pode cronometrar o tempo para a resposta do participante do centro.

13. Autoconhecimento

Objetivos

Específicos

- ✓ Observar comportamentos de outros
- ✓ Observar/descrever aspectos do próprio comportamento (automonitoria)

✓ Dar *feedback* positivo ao colega

✓ Lidar com avaliação recebida dos outros

✓ Desenvolver o autoconhecimento

✓ Fortalecer a autoestima

Complementares

✓ Diferenciar aspectos cognitivos, afetivos e comportamentais de si e dos demais

✓ Compreender a relação entre esses aspectos

Material

✓ Cartões com o nome de todos os participantes

✓ Ficha de autoavaliação

Percebo-me como...	Acho que me percebem como...
DIMENSÃO COMPORTAMENTAL	DIMENSÃO COMPORTAMENTAL
DIMENSÃO COGNITIVA	DIMENSÃO COGNITIVA
DIMENSÃO AFETIVA	DIMENSÃO AFETIVA

✓ Ficha de avaliação do outro

Como vejo _____	Como acho que _____ se vê
DIMENSÃO COMPORTAMENTAL	DIMENSÃO COMPORTAMENTAL
DIMENSÃO COGNITIVA	DIMENSÃO COGNITIVA
DIMENSÃO AFETIVA	DIMENSÃO AFETIVA

Procedimento

Na primeira etapa, o facilitador entrega a *Ficha de autoavaliação* e pede que cada um a preencha, priorizando os aspectos positivos e sem mostrá-la aos demais.

Depois, distribui ao grupo a *Ficha de avaliação do outro*, já com nomes, entregando ao acaso, mas cuidando para que ninguém receba a sua própria.

Pede que preencham as duas colunas, mas somente com os aspectos positivos. Após preencherem, pede para cada um apresentar o colega que avaliou com base na coluna 1 (Como vejo _____), e depois na coluna 2 (Como acho que _____ se vê), pedindo ao avaliado para não responder, mas apenas ouvir.

Na terceira etapa, pede que cada um exponha ao grupo o que aprendeu sobre si mesmo, as diferenças entre a autoavaliação e a avaliação feita pelo outro, o que foi novidade e o que avalia como aspecto positivo mais importante em si mesmo.

Ao final, o facilitador discute a questão do autoconhecimento, abordando o quanto ele depende de nossas relações com as demais pessoas. Discute também a importância de cada um reconhecer as próprias habilidades e qualidades e de reconhecer e valorizar as dos demais.

Observações
✓ O facilitador deve impedir avaliações negativas tanto na primeira como na segunda etapa.

Variações
✓ Dependendo do grupo, o facilitar pode pedir a verbalização de um aspecto positivo e um a ser melhorado tanto na autoavaliação como na avaliação pelo outro.

14. Lidando com preocupação e estresse

Objetivos
<u>Específicos</u>
✓ Compreender o sentido do termo preocupação

✓ Reconhecer tensões relacionadas com preocupações

✓ Identificar crenças que podem levar à esquiva de situações preocupantes

✓ Melhorar o autoconhecimento

Complementares

✓ Identificar algumas das situações mais comuns que o preocupam

✓ Reconhecer que preocupação conduz ao estresse

✓ Identificar problemas de relacionamento como fonte de estresse

✓ Aprender a relaxar

✓ Identificar respostas de enfrentamento à preocupação e ao estresse

Material

✓ Texto de apoio

CONSIDERAÇÕES SOBRE O ESTRESSE

✓ Preocupação significa uma ação antecipada (pré = antes; ocupação = ação, ou seja, ocupar-se antecipadamente), fora de momento e de lugar. Essa ação é realizada pelo pensamento, mas não apenas, porque envolve também o corpo. Enquanto o pensamento cria e recria imaginariamente a situação (pessoas envolvidas e seus comportamentos), o corpo permanece tenso.

✓ Preocupação constante é sintoma de estresse e as maiores fontes de estresse são: (a) relacionamentos insatisfatórios; (b) incerteza financeira; (c) sobrecarga de trabalho. Por exemplo: um estudante vai realizar uma prova importante e permanece muito tempo imaginando como será seu desempenho (bom ou ruim), o conteúdo da prova (itens fáceis ou difíceis), as circunstâncias em que ela se dará (o comportamento do professor, dos colegas, o material) etc. Isso irá cansá-lo ou deixá-lo irritado, podendo sobrevir algum estresse, o que, certamente, influenciará em seu desempenho de diversas maneiras, tais como: dificuldade de concentração, ansiedade, falha de memória etc.

✓ A preocupação não resulta em nada de concreto, senão um considerável investimento desnecessário de energia. Claro que, na maioria das vezes, ela está relacionada com alguns problemas reais, ou mesmo imaginários.

✓ Algumas vezes a preocupação nem mesmo se justifica. Em outras palavras, algumas pessoas podem viver antecipadamente dramas que não se concretizam. De qualquer maneira, se há de fato um problema, a preocupação não vai, por si mesma, resolvê-lo enquanto este não for enfrentado.

✓ Uma forma eficaz de lidar com a preocupação é procurar interromper o fluxo de pensamentos e se manter atento à realidade.

✓ Lidar com as preocupações não significa cultivar o otimismo ingênuo (achar que tudo está bem quando não está) e nem o pessimismo catastrófico (achar que tudo está sempre pior do que de fato está). Ambos os casos dificultam enfrentar o problema.

Procedimento

O facilitador pede que os participantes afastem as cadeiras, criando um espaço livre no centro da sala. Coloca-os para andar, pedindo que não se toquem. Após alguns segundos, pede que os participantes se imaginem individualmente com uma grande preocupação. Caso os participantes não mostrem preocupação no rosto e no corpo, o facilitador insiste com novas instruções e incentivos: "Isso mesmo, mostrem o quanto estão preocupados".

Também elogia quando percebe que o grupo se esforça para expressar preocupação (por exemplo: "Ótimo, agora sim").

Após algum tempo, o facilitador altera as instruções: "Agora, vamos expressar essa preocupação como se fosse um peso que vocês estão carregando nas mãos ou na cabeça ou nas costas. Caminhem expressando todo esse peso da preocupação".

O facilitador espera, novamente, algum tempo e pede que encontrem uma forma de se livrarem da preocupação (usualmente os participantes simulam atirar o peso para fora de si). O facilitador observa e valoriza as alternativas encontradas. Ao final, dá esclarecimentos sobre o estresse, com base no texto de apoio. Pode também usar exemplos ou pedir que exemplifiquem os aspectos abordados.

Observações
- ✓ Algumas pessoas recebem atenção ao contar a familiares e conhecidos suas preocupações. Quando isso se torna habitual, pode ser um problema, e a pessoa precisa aprender a alternar assuntos de conversa que produzem atenção construtiva.

Variações
- ✓ Pode-se solicitar que os participantes conversem em pequenos grupos e identifiquem formas alternativas para lidar com as preocupações. Essas alternativas, provenientes da experiência de cada um, podem ser relatadas e discutidas em termos de estratégias a serem testadas.
- ✓ Uma alternativa para facilitar a identificação de eventos que provocam a preocupação consiste em o facilitador colocar no quadro situações eliciadoras de preocupação para a maioria das pessoas: desemprego, vestibular, divórcio, casamento, prova, doença grave, entrevista de seleção etc.

15. O jogo do silêncio

Objetivos

Específicos
- ✓ Exercitar contato visual
- ✓ Identificar sentimentos vivenciados em situação ambígua
- ✓ Observar/descrever comportamentos
- ✓ Reconhecer a relação entre situação, emoção e comportamento
- ✓ Autocontrole da ansiedade em situações novas e ambíguas

Complementares
- ✓ Lidar com situação ambígua
- ✓ Analisar contingências relacionadas à expressão de emoções em situações novas e ambíguas
- ✓ Identificar estratégias usuais para lidar com situações novas e ambíguas

Materiais
- ✓ Quadro para escrever
- ✓ Caneta para escrever

Procedimento

Quatro ou cinco membros do grupo são convidados para participar de um GV, sentados em cadeiras colocadas uma ao lado da outra, no centro da sala, de frente para os demais integrantes do grupo (GO). O terapeuta senta-se em frente ao GV, fitando os participantes um a um, vagarosamente, sem nenhum comentário. Após fitar o último participante, o facilitador refaz o trajeto de contato visual e, caso os participantes estejam tranquilos, continua ainda o mesmo processo. Nesse tempo de aproximadamente três minutos, o GO continua observando em silêncio, conforme fez o facilitador anteriormente. Em geral, os participantes do GV sentem-se bastante ansiosos e desenvolvem várias estratégias como sorrir, olhar para cima ou para baixo, estralar os dedos, balançar as pernas etc., para lidar com a situação ansiógena.

Em seguida, o facilitador pede a cada participante do GV que avalie, em escala de 1 a 5, a ansiedade sentida. Pede a alguém do GO para registrar as estimativas no quadro e para os demais relatarem suas observações. Cada participante relata ainda as estratégias que utilizou para aliviar o desconforto trazido pela ambiguidade da situação e pelo silêncio. Caso haja dificuldades nessa tarefa, o facilitador exemplifica, ajudando o participante em seu relato.

Terminada essa fase, o facilitador solicita ao participante que relatou menor ansiedade (ou a alguma pessoa de sua escolha, caso todos relatem o mesmo grau de ansiedade) que assuma o comando da vivência, dando-lhe o seu lugar. O participante, agora no comando, deve executar todos os passos – até a avaliação de ansiedade dos demais. Ao final, o facilitador verifica a ansiedade do participante que conduzir a fase final, comparando com sua estimativa na situação imediatamente anterior.

Ao final, o facilitador discute com o grupo todo:

– *A existência de situações cotidianas difíceis, geradoras de emoções, como o medo e a dúvida.*

– *A ansiedade gerada no enfrentamento de situações novas e ambíguas.*

– *A habituação como processo de redução da ansiedade na medida em que, teoricamente, o enfrentamento reduz a ansiedade.*

– *O uso de diferentes estratégias para lidar com a situação ansiógena e para reduzir o desconforto etc.*

– *As alternativas de enfrentamento para esse tipo de situação vivenciada.*

Observações

✓ Recomenda-se o uso da escala de 1 a 5 em lugar de 0 a 5 para os participantes avaliarem a própria ansiedade, uma vez que a pontuação zero é improvável, mesmo no sono e no relaxamento.

✓ Geralmente a pessoa que substitui o facilitador na segunda etapa relata maior ansiedade do que na primeira, enquanto os demais relatam menor ansiedade ao vivenciarem o processo pela segunda vez. Isso se deve à necessidade de enfrentamento da inesperada situação e à responsabilidade de conduzir a tarefa (também uma atividade nova).

✓ É comum, nesta vivência, que as pessoas do GV comecem a rir ou a fazer comentários. O facilitador deve manter a expressão séria como modelo do comportamento esperado dos demais e, se necessário, fazer sinal pedindo silêncio.

Variação

✓ Pode-se, ao final da vivência, mostrar ilustrações de figuras ambíguas que, dependendo da posição do observador ou do foco de seu olhar, permitem visualizar objetos diferentes (por exemplo, a ilustração clássica de percepção dúbia, vaso-perfil). O objetivo é ilustrar brevemente as falhas "naturais" de percepção e os problemas decorrentes disso.

16. Praticando o *feedback*

Objetivos

Específicos

✓ Desenvolver a comunicação não verbal

✓ Desenvolver a expressão gestual, corporal e facial

✓ Decodificar símbolos na comunicação não verbal

✓ Efetuar análise das contingências observadas

Complementares

✓ Compreender a variabilidade dos comportamentos não vocalizados

✓ Relacionar comportamentos não verbais e cultura

✓ Elogiar/e agradecer elogio

✓ Responder perguntas

Materiais

✓ Texto de apoio

O *feedback* é um tipo de habilidade social que consiste em descrever para o outro o comportamento que ele apresentou. De maneira análoga aos aparelhos mecânicos e eletrônicos, que mantêm um nível de funcionamento estabelecido graças ao processo de retroalimentação, os organismos humanos continuam a se comportar "alimentados" pelo *feedback*. Nesse sentido, discute-se que o *feedback* positivo pode ter função reforçadora.

Para que o *feedback* funcione, deve atender a algumas regras (A. Del Prette & Del Prette, 2001) em relação a suas características:

✓ **Descrição**: deve descrever o desempenho tal como ele ocorreu (ou seja, fidedigno em referir-se ao que pode ser observado, ao que a pessoa fez, sem incluir adendos explicativos ou qualificativos).

✓ **Contingência**: deve ser apresentado, tanto quanto possível, logo em seguida ao desempenho.

✓ **Parcimônia**: deve ser sucinto, restringindo-se à descrição do que ocorreu imediatamente antes do desempenho.

✓ **Orientação**: deve ser direcionado à pessoa, chamando-a pelo nome.

Quanto à forma, o *feedback* pode ser verbal ou escrito, mas também pode-se usar a filmagem do que ocorreu.

O *feedback* – especialmente o positivo – é importante em um programa de THS, pois, além de ser uma habilidade social relevante para um desempenho socialmente competente diante de diversas demandas funciona, também, como **técnica de promoção** de determinados desempenhos. Mediado pelo terapeuta em sessão, essa prática contribui para criar um ambiente acolhedor e relativamente livre de estimulação aversiva. Além disso, pode levar os participantes a permanecerem atentos aos desempenhos dos demais, uma vez que a qualquer momento podem ser solicitados a dar *feedback*. Gradualmente, os participantes começam a utilizar o *feedback* entre si, sem a mediação do terapeuta e também fora do ambiente de treinamento. Duas recomendações importantes:

- A ênfase no uso do *feedback* **positivo** favorece a discriminação dos desempenhos esperados; o *feedback* negativo deve ser evitado.

- Como o *feedback* **positivo não se confunde com o elogio**, não há necessidade de agradecimento. No entanto, em nossa cultura é usual alguma referência elogiosa associada ao *feedback*, como, por exemplo: "Você falou (muito bem) olhando-a nos olhos", o que acaba induzindo o agradecimento por parte daquele que recebe o *feedback*.

✓ Esquema de apresentação "Sobre *feedback*"

FEEDBACK

É um sistema regulador de um processo ou produto preestabelecido, operado por mecanismos acionados automaticamente em caso de desequilíbrio

↔ sistemas de autorregulação ↔

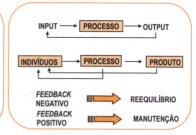

FEEDBACK (DAR E PEDIR)

- Descrição verbal ou dicas não verbais sobre o desempenho
- Vídeo-*feedback*: observação do próprio desempenho através de filmagens

CARACTERÍSTICAS DO *FEEDBACK*

- Imediato
- Descritivo
- Parcimonioso
- Positivo
- Orientado à pessoa
- Fidedigno

DIFICULDADE EM RECEBER *FEEDBACK*

- Admissão de falhas
- Medo da perda de autoimagem ou *status*
- Defensividade (negação, racionalização, desligamento, interrupção, projeção etc.) Ausência da cultura de *feedback*

DIFICULDADE EM DAR *FEEDBACK*

- Falhas na observação do comportamento do outro
- Falha na descrição do comportamento do outro
- Incapacidade de compreender as necessidades do outro
- Uso do *feedback* como forma de exercer poder

SUPERANDO A DIFICULDADE EM DAR *FEEDBACK*

- Aposte na eficácia do *feedback* positivo e utilize o *feedback* negativo apenas quando indispensável para corrigir desequilíbrio
- Evite conotação emocional negativa a seu *feedback*
- Forneça modelo de bom ouvinte – permita que o outro também dê *feedback*, se necessário, peça-lhe
- Utilize o *feedback* em processo de avaliação conjunta
- Caso seu *feedback* seja recusado, não insista, pois isto só aumentará a resistência do interlocutor
- Quando o *feedback* for dirigido a um grupo, descreva os desempenhos predominantes da maioria

SINAIS DE DEFENSIVIDADE

- Mal humor repentino, agressividade
- Silêncio e laconismo
- Desqualificar o outro
- Aguardar oportunidade para "dar o troco"
- Dividir responsabilidade *(E os outros? Por que só eu?)*
- Ironia, sarcasmo, projeção *(Veja só quem fala!)*
- Manifestar autopiedade *(É, eu sou um zero mesmo...)*
- Justificar *(Não estou bem de saúde; A tarefa era muito!)*
- Ameaçar *(O jeito é ir embora; Não conte mais comigo)*
- Fingir aceitação *(Está bem, está bem, você tem razão!)*

Procedimento

O terapeuta escolhe alguns participantes para compor o GV e os demais formam o GO. Ao GO, pede para que escolha uma das pessoas do GV e a observe com mais atenção. Ao GV, pede que os participantes andem pelo espaço disponível da maneira que quiserem quanto à velocidade (rápido ou devagar) e aos CNVP (cabeça reta ou caída, balançando braços ou retos, cruzados no peito ou para trás).

Depois de dois ou três minutos, interrompe e pede a alguns membros do GO (um de cada vez) para descrever o que viram, sem identificar quem estavam observando. Nesse momento, o terapeuta corrige as inferências, como, por exemplo, "andar preocupado", "jeito confuso", "nervoso" etc., insistindo na **descrição** dos comportamentos.

O terapeuta convida membros do GO a participarem do GV, vendando-lhes os olhos e colocando-os em pares com cada um do GV anterior. O membro do GV é solicitado a conduzir o colega de olhos vendados. Depois de breve tempo, solicita aos demais membros do GO a descrição do que observaram e as estratégias que identificaram nos "guias", pedindo que deem *feedback* aos mesmos. Depois pede que o colega vendado também dê *feedback* ao seu guia.

Ao final, apresenta o material instrucional (Sobre *feedback*) e, com base no texto de apoio e outras leituras, apresenta o conteúdo e verifica eventuais dúvidas. Ao final, atribui uma Tarefa Interpessoal de Casa envolvendo dar *feedback*.

Observações

✓ Ainda que aparentemente simples, é comum as pessoas se alongarem em elogios ou fazerem referência a aspectos negativos, mesmo quando o terapeuta pede a um participante que dê *feedback* positivo a um colega. É importante, nesse momento, que o terapeuta dê modelo, ouvindo atentamente a verbalização e destacando os trechos que podem ser chamados de *feedback* positivo, sem fazer referência aos restantes.

Variação

✓ Conforme o grupo, podem ser necessárias várias vivências e exercícios para chegar a um desempenho aceitável na habilidade de dar *feedback*. Assim, recomenda-se também a vivência *Feedback: como e quando* (A. Del Prette & Del Prette, 2001), bem como o aproveitamento de todas as oportunidades para isso nas sessões.

✓ O texto de apoio também pode ser entregue a todos e lido pelos participantes em dupla, logo depois da exposição, para fixar a aprendizagem.

17. Fazer amizade

Objetivos

Específicos

✓ Fazer e responder perguntas
✓ Identificar informações livres na fala do outro
✓ Dar informações livres associadas às respostas
✓ Falar de si mesmo (compartilhar intimidade)

Complementares

✓ Desenvolver atenção na interação
✓ Compreender a importância da amizade

Material

✓ Lista de atividades para manter amizades: convidar para sair, presentear, compartilhar problemas e realizações, elogiar/incentivar, pedir/oferecer ajuda, dar e pedir sugestões, conversar sobre assuntos triviais, sugerir mudança de comportamento, dar dicas de aparência (roupas, penteado etc.), praticar esporte junto, fazer e aceitar gracejo, telefonar demonstrando interesse sobre bem-estar, guardar segredos, compartilhar atividades prazerosas, participar de eventos importantes para o outro (aniversário, formatura etc.), colaborar e atender pedidos, demonstrar afetividade (verbal e física).

✓ Uma caixa contendo o nome dos participantes
✓ Uma caixa para colocar perguntas
✓ Lista de perguntas (exemplos a serem acrescentados, recortados e colocados na caixa)

1. Você pratica algum esporte?
2. O que você costuma fazer nos fins de semana?
3. Para qual time de futebol você torce?
4. Você tem algum animal em casa? Qual?
5. Você tem um amigo que encontra com frequência?
6. Você gosta de assistir filmes? Qual o último filme que assistiu?

Procedimento

O facilitador faz uma breve sondagem com o grupo sobre como os participantes procedem para começar amizades e as dificuldades que sentem. Discorre rapidamente sobre estratégias para iniciar uma amizade e para manter conversação entre amigos. Esclarece que fazer/responder perguntas é uma estratégia muito usada. Explica que, em uma conversação, podem ser usadas perguntas abertas e fechadas, e exemplifica a diferença entre elas. Destaca a importância de identificar, fornecer e responder informações livres, explicando de que se trata (cf. observação ao final), e acrescenta outras formas de aproximação: comentários sobre o tempo, algum acontecimento atual etc.

Em seguida, pede a cada participante que escolha uma pessoa do grupo e tire uma pergunta da "caixa de perguntas", formando duplas para interação. Chama a atenção de todos e escolhe uma dupla para a condição de GV. Cada membro da dupla deve fazer uma pergunta e depois continuar e manter a conversa. Após alguns segundos, o facilitador deve interromper a conversa, perguntando se houve alguma "informação livre" e se ela foi ou não aproveitada. Pede a outro participante do GO que dê *feedback* à dupla (GV), que deve então retornar ao GO. Nova dupla é formada e o facilitador procede de forma similar até que todos realizem a tarefa. Ao final, discute com o grupo quais foram as perguntas que "renderam" mais conversação, quais foram as mais difíceis ou fáceis de responder, quais as dificuldades etc. Abre, assim, breve discussão com todos sobre quais perguntas já usaram, outras que usam, quais têm sido mais efetivas e o que costumam fazer para manter amizades.

Observações

✓ Em uma conversação, as informações livres são comentários que vão além do esperado para o assunto em pauta, como, por exemplo, quando alguém faz o seguinte comentário: "Parece que vai chover". A outra pessoa confirma e acrescenta: "É, na semana passada choveu quase todos os dias". A informação livre pode ter um caráter pessoal. Nesse caso, a pessoa acrescentaria: "Tive de levar as roupas para a lavanderia". A pessoa que dá informações livres espera que o outro reaja a elas e faça o mesmo para a conversação progredir. Caso os participantes apresentem dificuldade em fornecer ou responder a informações livres, a vivência pode ser repetida em outra sessão, com instruções explícitas para o exercício dessa habilidade.

✓ A lista de perguntas dessa vivência pode ser direcionada para crianças, casais, colegas de uma empresa, idosos etc. No caso destes, pode-se incluir uma etapa prévia em que os participantes elaborem as perguntas e as escrevam no quadro, selecionando as melhores para colocar em tiras na caixa.

✓ Se o grupo é muito grande, os facilitadores podem, após a terceira dupla de GV, havendo espaço, dividir o grupo em dois, cada um conduzindo um deles.

Variações

✓ Pode-se efetuar uma etapa prévia sem instrução ou orientação a respeito de informações livres e outra após tais instruções. Ao final, perguntar ao grupo qual ou quais as diferenças entre a primeira e a segunda etapa.

18. Falando sem falar

Objetivos

Específicos

- ✓ Desenvolver a comunicação não verbal
- ✓ Desenvolver a expressão gestual, corporal e facial
- ✓ Decodificar símbolos na comunicação não verbal
- ✓ Efetuar análise das contingências observadas

Complementares

- ✓ Compreender a variabilidade dos comportamentos não vocalizados
- ✓ Relacionar comportamentos não verbais e cultura
- ✓ Elogiar e agradecer elogio
- ✓ Responder perguntas

Material

- ✓ Lista de provérbios populares, como, por exemplo:

PROVÉRBIOS POPULARES
Mais vale um pássaro na mão do que dois voando
Devagar se vai ao longe
Melhor só do que mal-acompanhado
Quem semeia vento, colhe tempestade
Vão os anéis, mas ficam os dedos

Procedimento

O facilitador explica ao grupo que as pessoas comunicam seus sentimentos e desejos muito mais por meio do não verbal (corpo, gestos, expressão facial) do que pela fala. Adianta que, antes de aprender a falar, as crianças vivem um processo contínuo de comunicação com os adultos por meio de recursos não verbais. Informa, ainda, que o significado do comportamento não verbal depende da cultura, e exemplifica isso com o comportamento de cumprimentar de executivos no trabalho e de adolescentes na escola.

Na sequência convida três participantes (GV) e, iniciando com os que têm menor dificuldade de expressão, pede-lhes que comuniquem, sem falar, alguma coisa aos demais (GO). Estes são solicitados a observar e a decifrar o significado da mensagem não verbal, levantando a mão tão logo a descubram e relatando quando indicado pelo facilitador.

Em um segundo momento, pede aos membros do GV (sem que os demais ouçam) que comuniquem (sem falar) adágios populares, sugerindo alguns ou pedindo que eles próprios sugiram. Caso o GO não consiga decodificar a comunicação, pede para o participante refazê-la, tornando-a mais evidente. Após algumas comunicações, dois membros do GO são solicitados a dar *feedback* positivo ao desempenho de cada membro do GV. A tarefa pode ser repetida com outros participantes, inclusive do GO, dependendo do interesse e motivação identificados.

Ao final, o facilitador solicita aos participantes para darem exemplos de mensagens culturais, do dia a dia, que as pessoas emitem sem pronunciar nenhuma palavra. Por exemplo: levantar a mão quando querem falar, expressar "sim", menear a cabeça para dizer "não", usar o polegar para "certo" ou "positivo", chamar alguém com as mãos, além de outras mais sutis, por meio de sorriso, postura, enrugar a testa, franzir sobrancelhas etc. Destaca, também, as dificuldades interpessoais que decorrem de quando não somos capazes de nos expressar não verbalmente ou de quando não decodificamos corretamente a comunicação não verbal de alguém.

Observações

✓ O facilitador pode alterar os itens da lista de provérbios substituindo ou incluindo alguns outros.

Variações

✓ Uma alternativa é organizar a comunicação dos adágios em duplas, com um membro da díade iniciando e o outro completando. Cada dupla estuda e ensaia separadamente como irá se apresentar.

✓ O facilitador pode apresentar ilustrações de tipos de comunicação gestual que têm significados similares ou até opostos em diferentes culturas.

19. O que meu colega contou

Objetivos

Específicos

✓ Ouvir o outro, prestar atenção

✓ Falar de si mesmo expondo-se aos demais

✓ Conhecer os colegas

✓ Fazer amizade

Complementares

✓ Compreender o outro

✓ Relatar acontecimentos

Material

✓ Ficha: *Cuidados de quem fala e cuidados de quem ouve*

CUIDADOS DE QUEM FALA	CUIDADOS DE QUEM OUVE
Olhe para o interlocutor ao falar	Preste atenção ao que o interlocutor fala
Não fale excessivamente alto nem baixo	Não interrompa o colega que está falando, exceto quando isso for necessário
Diga somente o que aconteceu e o que sentiu	Peça ao interlocutor por meio de sinal que fale mais baixo ou mais alto, caso necessário
Procure utilizar bem o tempo disponível	Evite sinais de impaciência
Não fale coisas depreciativas sobre quem não está presente	Evite comentar sobre quem está ausente, para não desviar o foco

Procedimento

O facilitador faz breve exposição sobre a importância da vida social, aludindo o quanto ela permite que as pessoas, além de trocarem ideias, aprendam umas com as outras, relatem sobre seus sentimentos, problemas, acontecimentos (bons ou ruins), coisas que fizeram etc. Explica então a importância de alguns cuidados quando se fala e quando se ouve outra pessoa. Cola o cartão visível a todos ou entrega um a cada grupo.

Pede, em seguida, que os participantes se reúnam em grupos de três e que cada um relate, aos outros dois, algum acontecimento que o deixou alegre ou triste. Anuncia que terão cerca de 10 minutos (dependendo do grupo) para isso. Durante esse tempo, o facilitador percorre os grupos, incentivando discretamente o desempenho dos participantes.

Encerrada essa parte, o facilitador solicita que cada grupo escolha apenas um dos três relatos e, em seguida, solicite um dos colegas para apresentá-lo aos demais. Acrescenta que, agora, a narrativa deve ser feita em tom mais alto para que todos possam ouvi-lo, preparando a sala para o segundo momento da vivência.

Terminando as narrativas, o facilitador faz perguntas à sala:

– *O que vocês ficaram sabendo de seus colegas?*

– *O que cada um sentiu ao contar para o colega algo pessoal?*

– *Quem teve dificuldade? Qual o tipo da dificuldade?*

Para finalizar, o facilitador retorna ao tema inicial, apresentando *feedback* e enfatizando a importância de poder comunicar a colegas coisas pessoais, além do valor de ouvir e prestar atenção ao outro no processo de fazer amizade.

Observações

✓ O facilitador pode recomendar que os participantes continuem tendo o mesmo tipo de conversa que tiveram na vivência em outras situações, mesmo fora da sessão.

Variações

✓ Para garantir maior integração entre os participantes, o facilitador pode sortear os grupos ou sortear o primeiro participante de cada grupo, deixando a ele a tarefa de sortear os outros dois.

20. Direitos e deveres

Objetivos

✓ Reconhecer direitos e deveres

✓ Agir de maneira assertiva

✓ Reconhecer instituições para reclamar direitos no país

✓ Identificar estratos da sociedade que são tratados de maneira negativa quando comparados com outros de maior poder aquisitivo

✓ Admitir que todos são iguais perante a lei

Material

✓ Textos com situações

Gervázio foi atender a campainha e se deparou com os entregadores do colchão que finalmente ele e a mulher haviam comprado. Não pôde evitar o entusiasmo e gritou: "Marinalva, Marinalva, chegou! Finalmente chegou!" Marinalva apareceu sorridente, enxugando as mãos no avental e foi logo dizendo: "Calma. Velho, calma!" Os entregadores já foram entrando com a mercadoria, perguntando onde deveriam colocá-la. Alguns minutos depois tudo estava ajeitado, porém, quando Gervázio resolveu sentar no colchão, quase gritou: "Epa! Alguma coisa está errada". Marinalva também percebeu o problema e disse: "A mola parece estar quebrada nesses dois pontos!" Os entregadores disseram que nada podiam fazer. A tarefa estava cumprida e a solução seria cobrir com panos essa parte do colchão. Despediram-se, pegaram a assinatura de Gervázio e foram embora.

O grupo deve responder às questões: (a) O que o casal poderia fazer? (b) Como poderia resolver o problema?

Liliane era jovem e dava duro no emprego. Em todas as tarefas nas quais era preciso falar ou ler em inglês, espanhol e alemão ela era requisitada. Entretanto, seu salário era bem mais baixo do que o de alguns colegas com o mesmo cargo que ela ocupava. Ela se deu conta de que trabalhava mais e ganhava menos. Pensou em falar com seu diretor, mas este estava sempre ocupado e, segundo diziam, não gostava de reclamações dos funcionários.

O grupo deve responder às questões: (a) Como Liliane poderia resolver isso? (b) De que forma ela poderia saber da disponibilidade do diretor e marcar um horário? (c) E se conseguisse, como devia explicar seu problema ao diretor?

Manuela estava saindo com Dagoberto já há uns três meses. Ela gostava dele, mas queria entender melhor a situação. Quando ela falava em compromisso, ele mudava de assunto e, ultimamente, ficava agressivo. Manuela achava que no futuro Dagoberto deixaria aquele jeito "mandão". Na última vez em que ela falou em compromisso, ele ficou furioso e até a empurrou. Manuela disse que não gostava nada desse jeito agressivo e Dagoberto pediu desculpas, mas retrucou: "De novo essa conversa de Maria quer casar".

O grupo deve responder às questões: (a) Dagoberto vai mudar de opinião? (b) O que Manuela pode fazer?

Procedimento

Essa vivência é dividida em duas etapas. Na **primeira etapa**, o terapeuta separa os participantes em três grupos. A cada grupo é entregue um dos três conjuntos de textos. Cada grupo recebe a tarefa de: (a) escolher um coordenador; (b) ler o texto que lhe foi designado; (c) discutir o texto; (d) responder as perguntas. Ao final dessa fase, cada grupo é solicitado a ler seu texto para os demais e a comunicar as conclusões a que chegou. Essa discussão possibilita, ao terapeuta, conhecer as crenças e valores dos participantes. O terapeuta deve mediar a discussão de opiniões divergentes, evitando radicalizações.

Na **segunda etapa**, o terapeuta começa fazendo uma breve explanação, aproximadamente como indicado no texto a seguir.

- O terapeuta explica que, grosso modo, quando as pessoas se deparam com questões como as que analisaram, que envolvem **valores**, elas procuram expressar cada qual a sua opinião. Em várias situações sociais as pessoas precisam dizer o que pensam e o que sentem.

- As normas presentes na educação familiar, os modelos que cada qual encontra em suas experiências e as consequências que ocorrem quando as pessoas se comportam de certo modo favorecem o desenvolvimento de um estilo de comportamento. Grosso modo os estilos foram classificados em três: (a) passivo; (b) agressivo e (c) assertivo. Em geral no estilo passivo as pessoas preferem não se manifestar e, mesmo quando solicitadas a dizer o que pensam, evitam, e frequentemente dão um jeito de "ficar em cima do muro" ou de adotar a posição majoritária. No estilo agressivo as pessoas dizem o que pensam, defendem suas ideias e valores, mas fazem isso de maneira contundente, sem se importar com os sentimentos dos demais. Com frequência até exageram no jeito de falar, gritam e fazem gestos ameaçadores. No estilo chamado assertivo, as pessoas também se expressam e defendem seus direitos, porém, sem desrespeitar a opinião do outro. A assertividade será ainda mais efetiva se precedida por alguma expressão de empatia com a necessidade do outro.

- Muito raramente alguém desenvolve um estilo puramente passivo, agressivo ou assertivo. O mais comum é que os estilos se alternem, variando com a situação, mas pode haver maior predominância de um estilo sobre os demais. Pensem em uma linha pontilhada: quanto mais se desloca à esquerda, pode-se observar mais agressividade; do lado oposto, localizando-se à direita, mais frequente seria a passividade. A parte central dessa linha seria representada pela assertividade, que também oscila para uma ou outra direção.

O terapeuta conduz uma discussão sobre os três casos apresentados.

No **primeiro caso**, pergunta qual seria a providência a ser tomada pelo casal que comprou um colchão. Se necessário, auxilia o grupo a concluir que é importante procurar informações, e que esse é um indicador de que Gervázio e Marinalva acreditam em seus direitos. Explica que, se eles já soubessem sobre seus direitos, provavelmente não teriam ficado com a mercadoria. Agora terão que ir até a loja e solicitar a troca do colchão. Qual estilo pode alcançar melhor resultado? No estilo passivo poderia ocorrer a desistência da queixa ou o casal faria "a reclamação" de maneira muito submissa, tendo a solução do problema postergada, demorando muito tempo para solucioná-lo.

No **segundo caso**, da Liliane, o terapeuta lembra que ela realiza algumas tarefas que os demais não estão capacitados a fazer, pelo menos em toda a extensão, o que parece facilitar os argumentos a serem apresentados. Chama a atenção, aqui, para a questão dos valores.

Quanto ao **terceiro caso**, o terapeuta pode argumentar que Manuela provavelmente terá de tomar uma decisão de rompimento com Dagoberto. Explica que muitas vezes a assertividade apenas preserva a pessoa, podendo evitar consequências danosas para ela. Para finalizar, o terapeuta pede que cada um relate brevemente o que aprendeu sobre direitos e deveres, ou que relate experiências com essa demanda e como fariam doravante para lidar com elas.

21. Resolvendo problemas interpessoais

Objetivos

Específicos

✓ Coordenar grupo

✓ Analisar situação e definir o problema

✓ Listar e analisar alternativas de solução do problema

✓ Escolher a melhor alternativa de solução do problema

✓ Fazer e responder perguntas

Complementares

✓ Dar *feedback*

✓ Avaliar desempenho

Materiais

- ✓ Ficha com a lista de funções básicas de um coordenador (cf. Portfólio de Habilidades Sociais, capítulo 1)
- ✓ Texto de apoio: LIDANDO COM PROBLEMAS INTER-PESSOAIS

LIDANDO COM PROBLEMAS INTERPESSOAIS

O primeiro requisito para a solução de um problema interpessoal é responder à pergunta: **O que é um problema? O que é um problema interpessoal?** O que é a **solução de um problema interpessoal?**

Um **problema** pode ser definido como um descompasso entre a demanda de resposta adaptativa a uma situação e o repertório de respostas efetivas da pessoa ou das pessoas que precisam lidar com ela, devido à presença de um ou mais obstáculos. Um **problema interpessoal** é um tipo especial de problema da vida real em que o obstáculo é um conflito entre demandas comportamentais ou expectativas de duas ou mais pessoas em um relacionamento.

Portanto, existe um problema interpessoal quando há conflitos nas demandas comportamentais e expectativas entre duas ou mais pessoas em um relacionamento. Pode-se dizer que alguns dos comportamentos de uma das partes desagrada a outra e que os comportamentos esperados (expectativas) ocorrem em baixa frequência ou não ocorrem.

A **solução de problema interpessoal** é a resultante de um processo cognitivo-comportamental entre os envolvidos e inclui: (a) caracterizar o problema, especificando as demandas e expectativas; (b) identificar alternativas de solução potencialmente eficazes para o problema; (c) escolher e implementar a alternativa escolhida, o que pode significar alterar comportamentos. A resultante desse processo deve ser satisfatória para todos os envolvidos. De acordo com essa visão, em coerência com o conceito de Competência Social anteriormente definido, a solução de problemas interpessoais deve, portanto, ser regida pelo princípio "ganha-ganha", ao invés de "ganha-perde".

Importante esclarecer que, na maioria das vezes, um problema interpessoal se localiza apenas em uma situação, o que seria mais fácil de ser solucionado. Entretanto, algumas vezes ele pode envolver várias situações de contatos entre as pessoas envolvidas, gerando afastamento e dificuldade de aproximação.

Um problema interpessoal não se confunde com um **conflito**, porém, pode aí ter seu início. Um conflito diz respeito a posicionamentos diferentes e, quando bem discutidos, pode levar a descobertas interessantes e até a aproximação entre os oponentes.

Os problemas interpessoais acontecem com muita frequência, independentemente da idade dos envolvidos, e grande parte deles se resolve sem grandes dificuldades. Contudo, alguns são persistentes e demoram mais para serem solucionados. Há casos de problemas interpessoais que envolvem gerações.

Alguns problemas se desenvolvem aos poucos, ao longo do tempo; outros podem eclodir de repente. No primeiro caso, quase sempre se identifica uma divergência latente, não manifesta entre as partes. O conflito manifesto é percebido pelas pessoas envolvidas, por outros membros do grupo e até mesmo por pessoas externas ao grupo. Uma situação potencialmente geradora de problemas interpessoais ocorre quando as pessoas envolvidas têm interesses conflitantes, preconceito, intolerância e dificuldade de negociação.

Em resumo, o problema não está na ocorrência de conflito, mas na maneira como é administrado e encaminhado. Podemos pensar em alguns passos preliminares para solucionar um problema. Esses passos são indicados por perguntas: (a) Qual é o problema ou como se caracteriza? (b) Quais pessoas estão envolvidas no problema? (c) Os envolvidos querem resolver o problema? Se o problema for encarado como uma forma de superação, ele constitui uma fonte de reequilíbrio de poder, uma aprendizagem importante para os diretamente envolvidos e também para os que estão na periferia do mesmo.

✓ Questões para a observação do grupo

1. Registrar comportamentos dispersivos ou negativistas ("mudar o assunto", "dar demonstração de aborrecimento", "interromper o outro")
2. Identificar quem direciona a conversa para o foco do problema ("retornar ao tema", "fazer perguntas pertinentes", "dar sugestão")
3. Observar quem ouve atentamente por meio de postura ou de gestos ("olhar voltado para quem fala", "fazer meneios com a cabeça, sinalizando compreensão", "pedir explicações")
4. Perceber quem contribui para a solução do problema ("apresentar sugestões", "dar/pedir exemplos", "chamar a atenção para o assunto")

✓ Três folhas de papel, cada uma com um problema descrito no topo e o restante da folha em branco para uso do grupo

PROBLEMA 1

Pedro Figueiroa é gerente de um setor e supervisiona várias equipes. Além das atividades rotineiras (como distribuir tarefas, participar de projetos, organizar planilhas de dados, participar de reuniões com diretores, responder e enviar memorandos, supervisionar e conferir documentos etc.), também supervisiona as equipes. Seu contato direto com cada um dos funcionários restringia-se a cumprimentos e breves comentários quando ocasionalmente os encontrava. Em sua última reunião com o diretor, este lhe transferiu um problema, anunciado mais ou menos nos seguintes termos: "Pedro, você tem um funcionário em sua equipe, o Senhor F, que, segundo consta, é competente e dedicado. Os colegas de F o evitam e queixam-se que o mesmo 'cheira mal'. O líder do grupo levou o problema adiante, mas ninguém se dispôs a enfrentar essa situação. Fica sob seu encargo resolver isso". O GRUPO DEVE: (1) analisar o problema e chegar a um encaminhamento de solução; (2) listar algumas Habilidades Sociais requeridas para a resolução desse problema.

PROBLEMA 2

Paulo Soares de Oliveira foi designado para gerenciar uma equipe que apresentava altos e baixos em termos de produtividade. A análise do gráfico de desempenho de cada membro da equipe mostrava-se bastante semelhante. As tendências ascendentes e descendentes eram quase simultâneas para todos, mesmo quando os trabalhos eram independentes. A equipe conseguia, a duras penas, cumprir suas metas, mas o clima organizacional, algumas vezes, era péssimo, observando-se muitas críticas e brincadeiras de mau gosto entre os funcionários. **CONFORME O GRUPO**: O que Paulo deveria fazer?

PROBLEMA 3

Antonio Peres era bastante dedicado ao trabalho. Nesses últimos meses, contribuiu bastante para a equipe atingir as metas. Frequentemente tinha sugestões interessantes, mas nem sempre conseguia ser ouvido. Ao expor uma ideia, demorava-se tanto para conseguir um mínimo de atenção de alguém que, quando conseguia falar alguma coisa, o assunto que estava sendo discutido já era outro, e os demais tinham a atenção voltada para outro tema. Quando acertava o momento, perdia-se na exposição das ideias, repetindo o assunto, justificando e até gaguejando. Frequentemente alguns colegas achavam graça e tentavam disfarçar o riso. Por isso mesmo, Antonio preferia ficar quieto ou concordar com as ideias dos colegas quando fosse o caso. **TAREFA DO GRUPO**: Como auxiliar Antonio Peres?

Procedimento

Para essa vivência, o facilitador organiza dois grupos de GV e dois de GO. Na primeira fase da vivência, solicita que cada GV escolha seu coordenador e relator. Em seguida, entrega aos coordenadores a folha com o problema, instruindo o grupo para: (a) fazer uma leitura silenciosa; (b) definir o problema por escrito; (c) discutir alternativas para resolver o problema; (d) anotar os possíveis encaminhamentos; (e) escolher o melhor encaminhamento de solução para a atividade.

Em cada grupo GO entrega a uma das pessoas a ficha *Funções básicas do coordenador* pedindo-lhe que observe esses aspectos; aos demais, distribui as questões específicas de observação.

O facilitador estabelece um tempo de 20 minutos para o GV chegar a uma solução do problema. Durante esse tempo, circula entre eles, verificando a participação de cada um e, se necessário, fornece pistas sem dar qualquer resposta. Terminado o tempo, o facilitador pede que cada coordenador relate os aspectos anotados pelo grupo e os apresente aos demais. Durante a apresentação, solicita que outros deem *feedback* positivo ao relato apresentado.

O facilitador apresenta, didaticamente, aspectos do texto de apoio sobre solução de problemas e inverte os membros da condição de GV e de GO. Nessa situação, instrui, por meio de cochicho, um membro de cada GV para apresentar comportamentos "negativista" e "dispersivo", respectivamente.

Terminado o tempo, procede da mesma forma na exposição e discussão da tarefa, desta vez dando destaque aos comportamentos do coordenador, visando controlar a dispersão e o negativismo. Ao final, discute a importância de aplicar o processo de solução de problemas tanto em contexto individual como de grupo. Valoriza os aspectos positivos dos coordenadores e dos observadores.

Observações
✓ Dependendo dos recursos do grupo e dos objetivos, o facilitador pode optar por apresentar didaticamente o texto de apoio no início desta vivência, e não no meio como descrevemos aqui.

Variações

✓ O facilitador pode usar outros casos de solução de problemas interpessoais escolhidos por sua potencialidade, a fim de instigar o processo de resolução de problemas.

22. Nunca igual

Objetivos

Específicos

✓ Desenvolver flexibilidade comportamental nas relações interpessoais cotidianas
✓ Desenvolver criatividade em comportamentos alternativos para a mesma situação
✓ Analisar interações sociais cotidianas
✓ Coordenar grupo

Complementares

✓ Dar *feedback*
✓ Identificar situações rotineiras do cotidiano

Materiais

✓ Papel e lápis
✓ Cartaz com a lista de funções básicas de um coordenador (cf. Portfólio de Habilidades Sociais, capítulo 1)

Procedimento

O facilitador explica ao grupo que um dos objetivos desta e de algumas outras vivências do programa é o de melhorar o repertório de Habilidades Sociais e gerar alternativas para diversas situações deste mesmo âmbito vividas no cotidiano. Acrescenta que muitas situações sociais se mantêm razoavelmente semelhantes e demandam reações com poucas possibilidades de variação, como, por exemplo, comprar jornal na banca da esquina, responder a uma pergunta sobre as horas etc. Pede ao grupo exemplos de outras tarefas interpessoais em que o nosso desempenho apresenta pouca variabilidade sem prejuízo do alcance dos objetivos.

Adianta que, por outro lado, em situações mais complexas, tendemos a repetir os mesmos comportamentos, quando seria desejável uma maior variabilidade. Pede exemplos de situações sociais que podem demandar comportamentos alternativos, tanto para evitar que a relação se deteriore como para alcançar os objetivos das tarefas interpessoais envolvidas. Fornece exemplos de situações e demandas (exposição de um assunto em reunião de trabalho, orientação de colega de escola, abordagem para amizade) em que a ausência de variabilidade pode dificultar resultados favoráveis para os dois interlocutores ou até mesmo levar a resultados não desejáveis.

Após essa exposição, o facilitador solicita ao grupo que se divida em duplas ou subgrupos com três participantes. Para metade dos grupos, pede que cada um elabore um exemplo em que: (a) a situação é quase a mesma na maioria das vezes; (b) os comportamentos dos participantes quase invariavelmente se repetem. Além disso, cada grupo deverá listar Habilidades Sociais requeridas nessa situação. Para os demais grupos, pede que elaborem: (a) um exemplo de situação pouco usual na vida das pessoas; (b) pelo menos duas alternativas para lidar com essas situações.

Durante a tarefa, o facilitador supervisiona os grupos, auxiliando-os discretamente. Na sequência, instrui para que cada grupo relate seu trabalho escolhendo quem deve fazer o relato. A cada apresentação os demais devem dar *feedback* positivo ao grupo. O facilitador pede também para alguém relatar uma experiência em que não conseguiu essa variabilidade e outra em que alcançou boa variabilidade, comentando os resultados.

Observação
✓ Essa vivência pode ser realizada também com grupos de casais, possibilitando descobertas e *insights* importantes. O

facilitador pode sugerir um exercício de variabilidade como Tarefa Interpessoal de Casa (TIC) para todos ou para apenas alguns participantes, dependendo do estágio do grupo.

Variações

✓ Para ilustrar o inconveniente da rotina nas relações, o facilitador pode dividir os participantes em subgrupos e solicitar que analisem conteúdos de música (por exemplo: *Cotidiano*, de Chico Buarque: *Todo dia ela faz tudo sempre igual, me sacode às seis horas da manhã...*), ou filmes (*Melhor é impossível*, com Jack Nicholson). Após a análise, cada grupo relata o seu trabalho recebendo *feedback* dos demais e do facilitador.

✓ Outra variação interessante, dependendo do repertório dos participantes, é solicitar que cada grupo apresente seu trabalho em forma de esquete para os demais e, na sequência, todos discutam: (a) problemas associados à rigidez comportamental; (b) importância de adequar alternativas possíveis ao contexto da interação.

23. Valores nas interações sociais

Objetivos

Específicos

✓ Identificar comportamentos que refletem valores
✓ Refletir sobre valores relevantes na convivência entre as pessoas
✓ Observar e relatar comportamentos
✓ Dar opinião sobre valores

Complementares

✓ Fazer comparações e análises
✓ Desenvolver a automonitoria

Material

✓ Fichas com descrição de situações *interpessoais* que podem envolver valores

1. P encontrou uma carteira de dinheiro. Verificou nela um documento de identidade. Isso lhe permitiu encontrar o endereço do dono da carteira e foi imediatamente devolvê-la.
2. Josefa ouviu duas vizinhas comentando que Mariana, moradora da casa 37 da mesma rua, havia levado para sua casa o carrinho do Tonico, filho da Josefa. Josefa sabia que esse fato não era verdadeiro. O que Josefa fez?
3. Geraldo ficou com raiva da Luciana, sua namorada, porque a viu despedindo-se de forma carinhosa de um cara "todo boa pinta". Pensou em tirar satisfação, mas acabou enviando uma mensagem para Luciana desmarcando o encontro.

✓ Quadro *Valores de convivência*

Gentileza	Reciprocidade	Criatividade	Igualdade	Gratidão
Respeito	Coragem	Honestidade	Cooperação	Compromisso
Ética	Saúde	Poder	Responsabilidade	Disciplina
Humildade	Afetividade	Compaixão	Generosidade	Conhecimento
Tolerância	Persistência	Liberdade	Justiça	Bondade
Ousadia	Autonomia	Beleza	Solidariedade	Perdão

Procedimento

Na primeira etapa, o facilitador divide os participantes em grupos e pede que cada grupo escolha um coordenador e um relator. Entrega, a cada grupo, o quadro *Valores de convivência* e pede que confiram se incluiriam mais alguns. Solicita que escolham os mais significativos para eles, pontuando em ordem decrescente, dos mais para os menos relevantes. Cada grupo deve escolher os três valores aos quais atribuíram melhor avaliação e discutir situações em que esses valores aparecem nas interações entre as pessoas. Depois, o facilitador entrega, a cada grupo, a lista de situações interpessoais e pede que decidam em grupo os valores associados a cada uma delas.

Na segunda etapa, o facilitador pede que cada grupo exponha o que produziu e organiza, no quadro, os valores mais pontuados pelos grupos e as situações a que foram associados. Pede, então, que escolham uma das situações para encenarem os dois extremos: uma interação orientada por aquele valor e uma orientada por valor oposto ou que o desconsidere.

Ao final, o facilitador coloca todos em situação de relaxamento. Pede que fechem os olhos e imaginem sua família, seus amigos e conhecidos convivendo em harmonia e respeitando os valores que consideraram mais importantes. Escolhe alguns para relatar o que imaginaram.

Observações

✓ A ênfase deve ser em valores positivos de convivência, porém, se algum participante insiste em um valor questionável (por exemplo: ambição, poder), o facilitador pode pedir ao grupo para discutir vantagens e desvantagens, em curto e longo prazo, de padrões de relacionamento orientados por tais valores.

Variações

✓ O facilitador pode ainda criar situações interpessoais em que os valores de convivência geram conflito em relação a resultados imediatos e resultados de médio e longo prazo (por exemplo: a honestidade que faz uma pessoa relatar uma falha e a desonestidade que faz com que ela prefira o resultado imediato de mentir).

24. A história de Joana

Objetivos

Específicos

✓ Desenvolver valores de convivência

✓ Diferenciar o fato em si de interpretação, impressão ou julgamento sobre fatos

✓ Reconhecer fatores que influenciam opiniões e julgamentos

✓ Identificar julgamentos e preconceitos culturais

✓ Reconhecer preconceitos nas interações cotidianas

✓ Evitar julgamentos precipitados com base em relatos de impressões de outrem

Complementares

✓ Compreender/aceitar a diversidade de opiniões e julgamentos

✓ Autoanálise sobre sondar preconceitos e julgamentos

✓ Expor julgamentos que contrariam os do grupo

✓ Desenvolver automonitoria

Materiais

✓ Lápis e papel

✓ Texto de apoio ao facilitador

PERCEPÇÃO, JULGAMENTO E PRECONCEITO

Desde criança aprendemos a identificar as pessoas com base nas diferenças biológicas (homem, mulher, alto, magro) ou nos papéis que exercem na sociedade (médico, professor, mãe, pai, estudante). Nossa aprendizagem se torna mais complexa quando fazemos distinções específicas dentro de uma classe geral, como, por exemplo, no caso de pais: existe o nosso pai, o pai do João, o pai da Maria, do Alfredo. Todos são homens e precisamos diferenciá-los.

Quando encontramos com uma pessoa pela primeira vez, nós fazemos uma imagem mental dela com base em algumas de suas características que chamam mais a atenção: a isso damos o nome de *percepção social*. Com base nessa percepção, fazemos um julgamento que pode ser positivo ou negativo. Esse julgamento é influenciado por crenças (o que pensamos) e sentimentos. O **julgamento social** também é aprendido e quase sempre segue a percepção. Eles são transmitidos a outras pessoas que podem ou não aceitá-los, ou que podem desmistificá-los quando não se justificam.

Os julgamentos são, ainda, influenciados pela identificação que temos com o nosso grupo. Primeiro, nós nos identificamos com nossos pais; depois, com o grupo familiar (irmãos, tios, avós), com grupos de amigos, grupo religioso, de lazer, de trabalho, étnico etc. (dar vários exemplos). A noção de fazer parte de um grupo inclui a percepção de que outros (conhecidos ou não) não fazem parte dele.

Nesse processo tendemos a valorizar nosso próprio grupo e a desvalorizar o grupo dos outros: a *minha* família, o *meu* time, a *minha* escola, são os melhores. Essa é a base para a aprendizagem do *preconceito negativo*. As diferenças entre as pessoas são comuns, mas não devem ser tratadas no sentido valorativo. O grande problema é quando nos relacionamos com as pessoas com base em um julgamento inicial e deixamos de ver os fatos que poderiam alterar esse julgamento.

A *percepção* e o *julgamento* são processos naturais na vida do ser humano e podem se tornar um problema quando são deturpados por preconceitos negativos que nos impedem de ver a realidade tal como de fato ela é. Nesse caso, os julgamentos são mais difíceis de ser alterados.

✓ Cartões com os relatos de pessoas ligadas a Joana (uma versão para cada grupo) e a versão da própria Joana (para o facilitador)

Texto 1. Joana, minha filha. Neste dia Joana levantou-se como de costume. Aprontou-se com rapidez, tomou uma xícara de chá com um pedaço de pão, recusando a manteiga que faço em casa, sempre pensando na sua alimentação. Apanhou suas coisas e também recusou a recomendação de levar agasalho. Tenho notado que ela anda pensativa e ultimamente já não me obedece como fazia. Acho que faz algumas coisas só para me contrariar. No fundo é uma boa menina, criança ainda, apesar de seus vinte anos e da modernidade dos tempos atuais.

Com base no relato da mãe, o grupo deve traçar o "perfil de características" de Joana.

Texto 2. Joana, minha amiga. A campainha da porta soou três vezes. Sabia que era Joana com a pressa de sempre. Corri para a porta, beijei-a no rosto, pegamos o elevador e descemos. Ela não disse uma única palavra, nem respondeu ao elogio feito pelo Armando, um rapaz da vizinhança que está a fim dela. Joana está mais reservada. Reparei, no entanto, que ela estava com uma blusa bastante decotada. Muitas vezes fico pensando se Joana não está de caso com alguém. Só espero que ela não se meta com o meu "gato". Ela tem essa carinha inocente que todo homem gosta. Quando saímos do elevador, já na rua, Joana pediu desculpas por não responder minha pergunta sobre um possível namorado. Disse que andava muito preocupada, por isso parecia distraída e acabou não respondendo à pergunta que lhe fiz. Sei não, aí tem coisa!

Com base no relato da amiga, o grupo deve traçar o "perfil de características" de Joana.

Texto 3. Joana, a misteriosa. Eu me chamo Armando, moro no mesmo prédio da Paula, uma amiga da Joana. Sou uma pessoa honesta e trabalhadora. Atualmente não tenho nenhuma garota. Para dizer a verdade estou muito interessado em Joana, mas, ao que parece, ela não está a fim. Hoje eu a segui por vários lugares. Primeiro ela se enfiou no escritório onde trabalha. Eu fiquei na espera. Lá pelas dez horas ela saiu sozinha, e quando se distanciou da empresa pegou o celular e começou a ligar.

Consegui ouvi-la dizer: "Não faça isso, não, depois eu passo aí para a gente conversar [...] a gente vai sair dessa [...] estou ao seu lado sim". Não deu para saber quem era o cara do outro lado, mas deu para perceber que Joana está se enroscando com alguém. Mulher quando tem uma paixão secreta fica toda nervosa. Vai ver que o cara é casado. Na hora do almoço fui para o mesmo restaurante que Joana frequenta. Ela comeu apressada e saiu. Esperei um pouco e a segui. Ela entrou em um prédio de escritórios antigo e malconservado, ali bem próximo do Arouche. Não tive dúvidas, fui atrás. No terceiro andar ela adentrou uma sala que me pareceu de advocacia. Pelo vidro da porta a vi sentada na escrivaninha com os joelhos à mostra. Vez por outra ela acariciava os cabelos de um homem mais velho. O que conversavam não deu para entender. Tive pena dela porque pode ter droga na jogada, pois o ambiente não é dos melhores. Tive raiva também, pois boba é que ela não é.

Com base no relato do Armando, o grupo deve traçar o "perfil de características" de Joana.

Texto 4. Joana, minha secretária. Eu sou diretor da seção onde Joana trabalha. Pela terceira vez nesta semana ela pediu para dar uma saída rápida, entre dez e onze horas. Não tenho queixa de seu trabalho, por isso tenho feito essas concessões. Caso ela faça nova solicitação terei que lhe falar seriamente. Tenho notado que anda entristecida. Ao chegar, perguntei se estava tudo bem e ela me respondeu que sim, agradecendo-me pela atenção. Noto que, quando está próximo do final do expediente, Joana consulta o relógio várias vezes. Não sei se ela tem alguma coisa urgente para fazer ou se pretende evitar sair com alguma pessoa daqui do escritório.

Com base no relato do chefe, o grupo deve traçar o "perfil de características" de Joana.

Texto 5. Joana, minha chefe. Sou *office boy* e presto contas de meu trabalho à Joana. Enquanto outras secretárias permitem algumas brincadeiras, com ela não dá para fazer nenhuma graça. Hoje ela me pediu um favor particular. Deu-me um pacote para entregar perto do Largo do Arouche e me gratificou. Nem precisava, porque era meu caminho mesmo. Não sei o que tinha naquele pacote, estava tão bem fechado que não deu para sacar. Entreguei a encomenda e depois lhe contei que o recebedor não disse nenhuma palavra, mas parecia nervoso, praticamente me arrancou o embrulho das mãos. Ela fez um ar pensativo e me sorriu. Seu sorriso era bonito, mas, sei lá, tipo assim, meio malicioso.

Com base no relato do *office boy*, o grupo deve traçar o "perfil de características" de Joana.

Texto 6. Joana, minha freguesa. Trabalho em um restaurante próximo ao centro antigo da cidade de São Paulo. O restaurante tem convênio com várias empresas. Conheço bem todo mundo, pois escuto as conversas, observo as reações das pessoas e muita gente me conta coisas. Um garçom poderia ser um bom informante da polícia. Travei contato com Joana há mais de um ano. Sei que ela mora sozinha com a mãe, trabalha e estuda. O que me chama atenção é que ela come pouco. Tenho certeza de que não é regime. Ela também me parece nervosa, talvez esteja dormindo mal. Recentemente um homem mais velho veio procurá-la na hora do almoço. Eu o ouvi dizer que não iria ficar porque não queria complicar a vida dela. Ela insistiu bastante e, diante da negativa dele, deixou de completar a refeição para acompanhá-lo. Depois desse dia, Joana tem se mostrado taciturna. Hoje ela passou para almoçar, comeu menos do que outras vezes e saiu apressada. Em seguida, um rapaz chamado Armando saiu atrás dela. Acho que eles tinham combinado algum encontro secreto, longe do restaurante. Só não sei como fica o outro nessa história.

Com base no relato do garçom o grupo deve traçar o "perfil de características" de Joana.

Texto 7. Joana, por ela mesma. Resido com minha mãe. Temos um apartamento simples, mas espaçoso. Trabalho em uma empresa de exportação e ocupo o cargo de secretária na área de contatos com o exterior, graças ao domínio que tenho do inglês e do espanhol. Quando era pequena, minha mãe contou que meu pai havia ido embora para a Itália, desaparecendo de nossas vidas. Poucas vezes eu e minha mãe falávamos dele, já o tínhamos como morto. Há um mês, ele reapareceu. Nosso primeiro encontro foi surpreendente e ocorreu no restaurante em que a empresa tem convênio. Isso trouxe uma reviravolta em minha vida. Meu pai me localizou pela ajuda de um amigo seu, que é advogado e tem escritório no Largo do Arouche. É na sala dessa pessoa que tenho me encontrado com ele. Minha maior preocupação é preparar tanto ele quanto minha mãe para que conversem. Certamente, eles têm muito que dizer um ao outro. De minha parte foi difícil aceitá-lo e imagino que será mais complicado para minha mãe. Há muito estou tentando convencê-lo a aceitar esse encontro. Só depois de sua concordância é que pretendo falar com ela. Enviei-lhe um pacote com fotos de nós três para sensibilizá-lo. O *office boy* que lhe entregou o pacote quis dar uma de esperto. Apenas lhe sorri. Sei que muita gente está estranhando minha maneira de agir, mas não dá para contar nada, pelo menos por enquanto. Hoje foi um dia importante. Tomei café rapidamente tentando aparentar tranquilidade. Minha mãe me fez várias recomendações. Logo em seguida, passei no AP da Marina e, por não prestar atenção no que ela falava, tive de lhe pedir desculpas. Depois, na empresa, obtive autorização de meu diretor para sair, e da rua liguei para sondar meu pai sobre as fotos. Ele ficou muito emocionado e eu consegui lhe dizer que ficaria ao seu lado nesse momento de dificuldade. Fiz uma refeição apressada, fingindo não notar o olhar curioso do garçom, que sempre foi muito solícito comigo. Do restaurante corri para a sala do advogado. Tive a impressão de ver o Armando por perto. Ele tem demonstrado interesse, pena que é muito desconfiado. Quando encontrei com o meu pai eu o achei muito triste e procurei animá-lo. Pela primeira vez consegui ser carinhosa com ele, passei a mão em seus cabelos, já embranquecidos. Tenho muita esperança de que tudo se arranje da melhor maneira possível.

Procedimento

Como preparação para a vivência, o facilitador deve estudar o texto de apoio apresentado em *Materiais*.

O terapeuta não faz nenhum comentário sobre o conteúdo da *A história de Joana*. Informa apenas que a vivência será dividida em duas fases. Na primeira fase, divide a sala em seis grupos, com quatro ou cinco participantes cada. A cada grupo, entrega o texto correspondente ao seu número (com cópia para todos), seguido da instrução para: (a) escolher um dos membros do grupo para coordenar a discussão do conteúdo do texto; (b) escrever em uma folha em branco o número do grupo (G1, G2 etc.) registrada no texto recebido, o nome do coordenador, do relator e dos demais membros; (c) ler silenciosamente o texto que recebeu; (d) discutir e escrever na folha que tipo de pessoa é aquela que está sendo descrita.

Estabelece aproximadamente 20 minutos para completarem essa parte do trabalho. Durante essa atividade, o facilitador percorre os grupos, procurando auxiliá-los, evitando, contudo, influenciar as respostas e, principalmente, apoiando os papéis do coordenador e do relator.

Decorrido o tempo estipulado, o facilitador antecipa que cada grupo será solicitado a ler o texto e a expor sua interpretação sobre Joana, e que os demais devem ficar atentos, pois o texto e a interpretação de cada grupo podem trazer elementos adicionais para a análise que fizeram.

No quadro, o facilitador escreve os números dos grupos. Então, conduz a etapa seguinte, respeitando os passos que seguem:

1. Pede ao Grupo 1 para ler seu texto e expor sua interpretação (monitorando que os demais ouçam sem conversas paralelas ou reações abertas).

2. Pergunta aos demais: "Atenção, algum grupo altera a interpretação que fez com base na análise do Grupo 1?" Aguarda um pouquinho e anota no quadro, ao lado do número do grupo, um SIM para aqueles que alteraram sua interpretação (e não anota nada se a resposta for NÃO).

3. Pede ao Grupo 2 para ler seu texto e expor sua interpretação (monitorando...).

4. Pergunta novamente aos demais se alterariam... E anota SIM ao lado do número do grupo que se manifestar.

O facilitador procede da mesma forma com todos os grupos. No caso daqueles que indicaram alteração, ao término de seus relatos pede que digam as eventuais alterações feitas e por quê. Ao final dos relatos dos grupos, o facilitador faz a leitura do último texto (*Joana por ela mesma*) ou pede para alguma pessoa do grupo fazê-la. Em geral, essa leitura gera muitas surpresas.

Nesse momento, o facilitador dá a seguinte instrução: "Os textos que vocês receberam continham trechos de *descrição* (fatos) e trechos de *interpretação* (julgamentos). Cada grupo deve, agora, identificar no texto que analisou quais são fatos e quais são julgamentos". Se necessário explica mais detalhadamente o que é um fato observável e o que é a interpretação de um fato. Estabelece alguns minutos para a tarefa e pede que cada grupo (não necessariamente na mesma sequência) relate os fatos e as interpretações. Aos demais grupos, o facilitador pede para confirmarem ou discordarem se for o caso. Para finalizar, discute a vivência com os grupos, tendo como base as questões:

- ✓ Quais os elementos positivos e negativos sobre Joana?
- ✓ As análises se basearam em fatos ou em julgamentos para a sua tarefa de escrever o perfil de Joana?
- ✓ O que ocorre no dia a dia quando tomamos julgamentos por fatos? Quais as consequências disso?
- ✓ Como é possível alterar os efeitos danosos dessa prática?

Encerrando a vivência, o facilitador faz uma breve exposição com base no *Texto de apoio ao facilitador* (cf. Materiais).

Observações

✓ Caso a sala seja muito numerosa, o facilitador deverá avaliar a possibilidade de formar grupos com seis participantes ou então criar mais um ou dois grupos, repetindo com eles os textos 5 e 6. A comparação de análise dos mesmos textos pode enriquecer bastante a vivência.

✓ Frequentemente as análises dos grupos, em especial daqueles que trabalham com os textos 2, 3, 5 e 6, podem exibir preconceitos negativos. Nesse caso o facilitador não deve reprovar, mas usar esse conteúdo para reflexão sobre o quanto fazemos julgamentos negativos e também nos deixamos influenciar por julgamentos que são feitos com pouco ou nenhum fundamento.

✓ Caso não apareça nenhuma análise preconceituosa sobre Joana, o facilitador deve parabenizar os grupos e conduzir a discussão sobre julgamentos negativos que podem nos influenciar. Dar exemplos sobre os nossos preconceitos a respeito dos nordestinos, dos ciganos, dos árabes (a quem designamos por turcos), dos pobres, dos negros. Explica que muitos desses preconceitos negativos são disfarçados, como, por exemplo, nas novelas, em que papéis de domésticos e marginais eram atribuídos aos negros; vendedores de quinquilharias aos judeus etc.

Variações

✓ O texto de número 7 – *Joana, por ela mesma* – poderá também ser entregue a um grupo, adotando-se o mesmo procedimento em relação aos demais.

25. Vamos conhecer Pedrinho

Objetivos

Específicos

✓ Diferenciar o fato em si de interpretação, impressão ou julgamento sobre ele

✓ Reconhecer fatores que influenciam opiniões e julgamentos

- ✓ Identificar influências da situação e da cultura sobre a percepção social
- ✓ Identificar os julgamentos e preconceitos culturais
- ✓ Reconhecer preconceitos nas interações cotidianas
- ✓ Evitar julgamentos precipitados com base em impressões de outrem

Complementares

- ✓ Compreender a diversidade de opiniões e julgamentos
- ✓ Auto-observar e constatar preconceitos e julgamentos
- ✓ Expor julgamentos que contrariam os do grupo

Material

- ✓ Lápis e papel
- ✓ Texto de apoio ao facilitador: PERCEPÇÃO, JULGAMENTO E PRECONCEITO (cf. *A vivência de Joana*)
- ✓ Cartões com os relatos de pessoas ligadas a Pedrinho (uma versão para cada grupo) e a versão do próprio Pedrinho (para o facilitador)

Texto 1 – Pedrinho, meu filho. Tive dificuldade para acordar o Pedrinho. Finalmente ele se levantou, jogou uma água no rosto, se aprontou e correu para a mesa. Pareceu-me que ele estava com fome, pois comeu dois pedaços de pão com manteiga e bebeu todo o chá que eu fiz para ele. Esse menino é enjoado, não gosta de café. Onde já se viu não gostar de um cafezinho passado na hora? Depois disso, pegou sua mochila, verificou se estava levando o caderno de tarefas, disse-me *tchau* e correu para o ponto de ônibus. Ele não me beijou como fazia antigamente. As crianças crescem e ficam com vergonha dos pais. Reparei, quando ele saía, que seus sapatos estavam gastos – o pé esquerdo já tem um furo no solado. É isso que dá ficar chutando tudo o que vê pela frente.
Após esse relato da mãe, o que o grupo acha de Pedrinho?

Texto 2 – Pedrinho, meu melhor amigo. Quando Pedrinho chegou, eu já estava no ponto de ônibus. Mostrei a ele minha nova figurinha de super-herói. Pedrinho esticou o pescoço, deu uma olhada e não fez nenhum comentário. Esse cara não gosta de colecionar super-herói, só pensa em futebol. Guardei minha figurinha e o Pedrinho perguntou se eu estava levando o caderno de tarefa. Disse-lhe que sim, mas sem terminar de fazer os problemas que a professora havia passado. Pedi para copiar de seu caderno e ele ficou enrolando. Por fim, falou que se eu mesmo não fizesse acabaria por não aprender. Acho que Pedrinho dá muita trela para o Mário, que é um cara muito metido. Eu já avisei que ele vai acabar ficando metido também. Parece que ele não levou a sério meu aviso. É isso que dá a gente querer ajudar.

Após esse relato do amigo, o que o grupo acha de Pedrinho?

Texto 3 – Pedrinho, o passageiro do ônibus que dirijo. Era a penúltima parada quando aqueles garotos entraram. O Lúcio subiu logo. O outro demorou bastante tempo só para me deixar irritado. Ao entrar, ele me disse "Bom dia". Não lhe respondi. Sei como é, primeiro ele se atrasa e depois finge que é bem-educado. Ele saiu assobiando, como se estivesse gozando com a minha cara. Pelo espelho, fiquei de olho nele. Camisa para fora da calça, boné virado para o lado, não sei o que vai ser desse moleque. Reparei que sua mochila tinha um volume maior que de costume. Embora ele tentasse escondê-la, colocando-a sob o banco, deu a impressão de que ele estava carregando uma bola. Quando chegou ao ponto próximo à escola, as crianças desceram e deu para ver que havia mesmo uma bola dentro da mochila. Quem rouba um tostão, rouba um milhão.

Após esse relato do motorista do ônibus, o que o grupo acha de Pedrinho?

Texto 4 – Pedrinho, meu "paquera". Meu nome é Marina. Eu estou estudando na quinta série. Os meus colegas são bem chatos. Conheci um garoto da quarta série que é bem legal. Ele é amigo do Lúcio e do Emerson, mas os três nunca estão juntos. Esse Pedrinho fica maior gato quando coloca o boné virado de lado, na cabeça. Ele mora em lugar distante da minha casa. A Ivonete me contou que ele mora na favela e que deve ser maconheiro. Será possível? Hoje chegamos no mesmo horário. Eu encarei. Ele deu uma olhada e abaixou a cabeça. O garoto não desconfia mesmo! Depois ele correu para se encontrar com o Emerson. Percebi que o Emerson tinha alguma coisa nas mãos que poderia ser cigarro. Vi também que o Lúcio ficou de cara amarrada, vai ver estava assim porque não foi convidado para fumar. Acho que eles vão se meter em alguma encrenca. Já escrevi um bilhete para o Pedrinho, mas não tive coragem de enviar.

Após esse relato da Marina, o que o grupo acha de Pedrinho?

Texto 5 – Pedrinho, meu colega de classe. Sou colega de classe do Pedrinho e me chamo Emerson. Ele é um cara que não gosta muito de conversa. Outro dia eu o convidei para fumar no banheiro. Ele nem deu resposta. Tem gente que gosta dele. Hoje ele chegou com uma bola na mochila. Eu sei que ele pegou a bola do Alfredo, porque ontem o Alfredo disse que sua bola havia sumido. Aí, eu fui falar com o Pedrinho, pedindo a bola para brincar. Ele respondeu que não tinha nenhuma bola. Descarado! Então eu gritei: ladrão, ladrão! Ele não reagiu, pegou a mochila e saiu correndo. Como era hora do recreio, ele se encontrou com o Lúcio e depois ficou olhando para a Marina, dando uma de bom. Meu pai sempre diz: Quem cala consente. Fui falar com a professora e contei tudo para ela. Ela ficou quieta, ouvindo, depois disse que ia fazer uma verificação.

Após esse relato do colega, o que o grupo acha de Pedrinho?

Texto 6 – Pedrinho, meu aluno. Não entendo o Pedrinho. Às vezes parece um menino inteligente, responde às perguntas que lhe faço, mas outras vezes permanece alheio, como se estivesse no mundo da lua. Outro dia ele falou que essa guerra dos Estados Unidos com o Irã era boa para quem fabricava as bombas, que ficava mais rico ainda. Achei uma resposta inteligente. Em outra aula, ele passou boa parte do tempo desenhando. Fiquei muito brava e recolhi seu desenho. De um lado tinha os nomes de colegas escalados para um jogo. Do outro lado tinha um desenho que eu não entendi nada: uma figura por cima da outra. Até parece coisa de gente maluca. Ouvi do Emerson que ele pegou uma bola de um colega e a trouxe para a escola. Isso é muito grave. Espero que tudo se esclareça.

Após esse relato da professora, o que o grupo acha de Pedrinho?

Texto 7 – Pedrinho, por ele mesmo. Foi difícil eu me levantar hoje de manhã. No domingo ajudei o Alfredo e seu pai a vender caldo de cana em frente ao campo de futebol. Isso deu maior canseira. Minha mãe foi legal, fez um chá de hortelã que tava dez. No ponto de ônibus encontrei meu amigo Lúcio que mora aqui perto, na quebrada. Ele me mostrou uma figurinha nova. Depois o Lúcio pediu para copiar a tarefa. Ele é meu amigo, mas não achei isso legal, porque se ele fica copiando nunca vai aprender. Foi o que eu lhe falei. De repente, o ônibus chegou, parando distante do ponto. Tentei correr. A perna doía e fui o último a subir. Cumprimentei seu Zé, o motorista. Ele não respondeu. Acho que havia muito barulho e não deu para ele ouvir, senão teria respondido. Foi incrível que nosso ônibus chegou junto com o da Marina. Ela é menina de "responsa", *tô* a fim dela, mas não sei se ela está interessada. Aí chegou o Mário e não vi mais a Marina. Durante toda a aula a professora ficou me olhando. Não sei por quê. No intervalo deu mal. O Emerson veio me pedir uma bola. Disse que eu não tenho bola, que aquela da mochila não era minha. Ele me chamou de ladrão. Fiquei com vontade de dar uma "porrada", mas o que salvou foi que estava na hora de eu devolver a bola para o Alfredo, que havia me emprestado. Ele tinha duas bolas, uma sumiu. Mesmo assim, ele me emprestou a que sobrou para eu brincar. O Alfredo é gente boa. Saí correndo para levar a bola para o Alfredo e dei de cara com a Marina. Não sei o que aconteceu, mas toda a raiva que eu sentia desapareceu. Olhei para ela, querendo "chavecar". Peguei a bola e fiquei fazendo embaixadas. Nisso eu sou bom de verdade. Quando deu o sinal eu retornei à sala. A professora veio me falar que precisava conversar comigo. O que será que ela quer?

Procedimento

Como preparação para a vivência, o facilitador deve estudar o texto de apoio e preparar-se para usar o seu conteúdo na interação com os participantes.

Iniciando a vivência, o facilitador divide os participantes em seis grupos de quatro ou cinco e recomenda que cada grupo eleja um coordenador e um relator. Após, entrega a cada grupo um texto (com cópia para cada participante) e solicita que façam uma leitura silenciosa para, então, discutir e responder à pergunta do texto em uma folha de papel, segundo o entendimento do grupo. Lembra que os grupos serão identificados pelos números dos textos (um, dois, três...) e que cada folha de resposta deve conter o nome de todos os participantes do grupo, além da identificação do coordenador e do relator.

Estabelece aproximadamente 15 minutos (dependendo da sala) para completarem essa parte. Durante essa fase, o facilitador percorre os grupos, auxiliando sem influenciar em suas respostas e, principalmente, apoiando os papéis do coordenador e do relator.

Decorrido o tempo estipulado, o facilitador antecipa que cada grupo deverá ler o texto recebido e expor aos outros sua interpretação sobre Joana. Solicita que os demais devem ficar atentos, pois o texto e a interpretação do grupo anterior podem trazer elementos adicionais para a análise que também fizeram.

No quadro, o facilitador escreve os números dos grupos. Então, conduz a etapa seguinte, respeitando uma sequência de passos:

1. Pede ao Grupo 1 para ler seu texto e expor sua interpretação (monitorando que os demais apenas ouçam, sem conversas paralelas ou reações abertas).

2. Pergunta aos demais: "Atenção, algum grupo altera a interpretação que fez com base na análise do Grupo 1?" Aguarda um pouquinho e anota no quadro, ao lado do número do grupo, SIM apenas para aqueles que alteraram sua interpretação.

3. Pede ao Grupo 2 para ler seu texto e expor sua interpretação (monitorando para que os demais apenas ouçam, sem conversas paralelas ou reações abertas).

4. Pergunta novamente aos demais se alterariam... E anota SIM ao lado do número do grupo que se manifestar.

O facilitador procede da mesma forma com todos os grupos. Depois verifica alterações. No caso daqueles que indicaram alteração, quando expõem a análise feita, pede que digam a análise inicial e as eventuais alterações. Quando todos já expuseram suas análises, pergunta ainda se algum grupo sentiu vontade de alterar alguma coisa em função dos relatos precedentes.

Quando todos os grupos terminarem suas apresentações, o facilitador deve fazer a leitura do último texto (*Pedrinho por ele mesmo*), pedindo a atenção de todos. Ao término de sua leitura, faz perguntas enfocando aspectos do conteúdo de cada texto e outras a respeito das diferenças de julgamentos que apareceram entre o relato do próprio menino e as diferentes posições dos grupos:w

✓ Marina se importava de Pedrinho morar em favela?

✓ Por que Emerson chamou Pedrinho de ladrão?

- ✓ Por que nem sempre os nossos julgamentos estão corretos?
- ✓ Alguém tem um exemplo referente a ter feito um julgamento errado sobre alguém?
- ✓ Por que uma pessoa que mora em uma favela é julgada mais negativamente do que uma moradora de outro bairro?
- ✓ Os moradores de bairros considerados bons não cometem erros?
- ✓ Quais são os fatos e quais são os julgamentos encontrados nos textos?
- ✓ O grupo se baseou em fatos ou em julgamentos para a sua apreciação sobre a história de Pedrinho?
- ✓ Quais os julgamentos positivos e negativos sobre Pedrinho?

Nesse momento, o facilitador dá a seguinte instrução: "Os textos que vocês receberam continham trechos de **descrição** (fatos) e trechos de **interpretação** (julgamentos). Cada grupo deve identificar no texto quais trechos são fatos e quais são julgamentos". Se necessário, explica mais detalhadamente o que é um fato observável e o que é a interpretação de um fato. Estabelece alguns minutos para a tarefa e pede que cada grupo relate fatos e depois interpretações, pedindo aos demais para confirmarem ou discordarem, se for o caso.

Pede, então, que cada grupo exponha quais trechos ou palavras do texto recebido são fatos (relatos de acontecimentos narrados pelas pessoas sobre Pedrinho) e quais são impressões ou interpretações de fatos. Para finalizar, o facilitador discute a vivência com os grupos, tendo como base as questões:

- ✓ Quais os elementos positivos e negativos sobre Pedrinho?
- ✓ As análises se basearam em fatos ou em julgamentos para a sua tarefa de escrever o perfil de Pedrinho?
- ✓ O que ocorre no dia a dia quando tomamos julgamentos por fatos? Quais as consequências disso?

✓ Como é possível alterar os efeitos danosos dessa prática?

✓ Encerrando a vivência, o facilitador faz uma breve exposição com base no texto de apoio ao facilitador.

Observações

✓ Caso o grupo seja muito numeroso, o facilitador deve avaliar a possibilidade de formar grupos com seis participantes ou, então, criar mais um ou dois grupos, repetindo com eles os textos 5 e 6. A comparação das análises dos mesmos textos pode enriquecer bastante a vivência.

✓ Nos textos foram utilizadas várias gírias, próprias de alguns contextos atuais. Elas poderão ser modificadas de acordo com as características dos grupos. Recomenda-se, também, fazer um glossário, como, por exemplo: *quebrada* = bairro; *menina de responsa* = garota que se protege, que não fica com os meninos; *chavecar* = paquerar; *deu mal* = não saiu como planejado; *dar trela* = dar atenção; *porrada* = soco. O glossário deve ser colocado no quadro.

✓ Frequentemente, os grupos que analisam os textos 3, 4 e 6 são aqueles que fazem julgamentos mais severos em relação a Pedrinho. O facilitador não deve manifestar atitude de reprovação, mas permitir que a experiência vivida sirva de reflexão para os participantes.

Variações

✓ O Texto 7, *Pedrinho por ele mesmo,* pode também ser entregue a um grupo, adotando-se o mesmo procedimento em relação aos demais.

26. O que podemos aprender com os gansos?

Objetivos

Específicos

✓ Compreender e valorizar o trabalho em equipe

✓ Identificar Habilidades Sociais para o trabalho em equipe (por exemplo: concordar, discordar, perguntar, dar *feedback*, elogiar)

- ✓ Reconhecer a importância da variabilidade no trabalho em grupo
- ✓ Expressar empatia
- ✓ Falar em público
- ✓ Dar *feedback*

Complementares
- ✓ Identificar valores subjacentes a metáforas
- ✓ Refletir sobre as diversas posições que as pessoas são chamadas a ocupar na vida
- ✓ Participar de diferentes tarefas no grupo

Material
- ✓ Texto de apoio 1

O QUE PODEMOS APRENDER COM OS GANSOS?

Em alguns países, no período do outono, é possível observar com certa frequência bandos de gansos voando em direção ao Sul. Chama a atenção a organização do voo, em um formato que lembra a letra V em posição invertida. Essa forma é adotada porque economiza muita energia de cada ave na longa jornada. Cada ave ao bater as asas produz um vácuo que diminui consideravelmente a resistência para aquela que está imediatamente atrás, e assim sucessivamente. Isso as mantém unidas, pois a tentativa de seguir sozinha é difícil devido ao esforço exigido. Além disso, o grasnar das aves que voam na retaguarda parece incentivar as colocadas à frente; porém, quando aquelas que estão à frente se cansam, trocam de posição com as que estão mais atrás. Calcula-se que essa formação economiza cerca de 70% da energia utilizada no voo, considerando outro posicionamento. Isso não significa que a jornada seja fácil. Ventos fortes podem obrigá-las a interromperem o voo, o que evita a dispersão do bando. Outros problemas são os ferimentos causados por choques inesperados ou tiros de caçadores. Ao abandonar o bando, a ave ferida ou doente é imediatamente circundada por dois gansos, que buscam ajudá-la. Eles a acompanham até que se recupere ou, no caso de incapacidade, eles a deixam e retornam ao grupo para prosseguir a viagem.

✓ Texto de apoio 2

QUESTÕES DE REFLEXÃO

1. Estou trabalhando isoladamente?
2. Minha atuação leva em conta as demais pessoas que fazem o "voo da vida" comigo?
3. Tenho sido solidário com aqueles que por algum problema saem da rota traçada?
4. Permito e até incentivo que outros revezem comigo a direção do grupo?
5. Quando não estou na liderança, tenho incentivado os companheiros que estão à frente a conduzir bem as tarefas?
6. Qual o significado de trabalhar em grupo?
7. É possível cultivar a solidariedade no ambiente de trabalho?
8. Anote algumas dificuldades do trabalho em grupo.

Procedimento

O facilitador distribui a todos uma cópia do texto de apoio *O que podemos aprender com os gansos*. Organiza os participantes em grupos, formados preferencialmente por colegas que ainda não trabalharam juntos. Estabelece o tempo de 10 a 15 minutos para lerem o texto silenciosamente e, na sequência, discutirem sobre as possíveis lições que ele traz, anotando em uma folha à parte.

Após essa fase, solicita que cada grupo apresente seu trabalho, tomando o cuidado de verificar os grupos que chegaram a resultados semelhantes, mesmo que apenas em alguns aspectos.

Entrega, então, o texto de apoio 2, pedindo que leiam os itens. Escolhe um dos grupos e pede, sem maiores explicações, para pensarem juntos, por três minutos, uma forma de representarem por meio de desempenho o item 3. O facilitador monitora de perto os desempenhos do grupo, com *feedback* positivo para as habilidades de cooperar, demonstrar empatia, concordar/discordar, dar sugestões. Então, pede a atenção de todos para a representação, dá *feedback* positivo e introduz um participante de outro grupo com instruções para questionar aquele desempenho.

Esse procedimento pode ser repetido com outro grupo e outro item. Ao final, verifica o que cada grupo aprendeu com a vivência e pede *feedback* de um grupo para outro, monitorando a qualidade desse *feedback* e eventualmente dando "*feedback* do *feedback*".

Observações

✓ Esta vivência enfoca valores que devem ser realçados pelo facilitador.

✓ Os valores enfocados nesta vivência são pertinentes a diversas situações sociais, no trabalho, família, escola, entre outras.

Variações

✓ Pode-se iniciar com o texto de apoio 2 e, após as respostas do grupo, o facilitador entrega o texto de apoio 1 e pede para reverem as respostas anteriores.

27. Tá frio, tá quente

Objetivos

Específicos

✓ Discriminar dicas verbais simples em situações de interação social

✓ Fazer escolhas entre duas orientações contraditórias

✓ Comunicar-se e colaborar com o parceiro

Complementares

✓ Dar *feedback*

✓ Elogiar o colega que acerta a tarefa

Materiais

✓ Objetos pequenos, tais como um lenço, uma presilha de cabelos, um livro

✓ Texto de apoio

> A vivência leva o nome de uma brincadeira bastante antiga, própria de nossa cultura. Era muito comum na época em que não havia televisão ou jogos eletrônicos. A brincadeira é destinada a crianças entre cinco a onze anos, porém, pode incluir, também, adolescentes. Ela pode ocorrer apenas entre duas pessoas, contudo é mais interessante com um grupo maior. As regras são simples e incluem um líder, que pode ser uma criança ou mesmo um adulto, e aqueles que vão procurar o objeto escondido. Pode haver revezamento nesses papéis. Cabe ao líder reunir o grupo, explicar a brincadeira (caso os demais não saibam) e realizar a condução, escolhendo ou solicitando que escolham alguém para procurar o objeto. O líder escolhe, esconde o objeto e fornece as dicas: "está quente" ou "está frio". Essas palavras são ditas à medida que quem procura o objeto se aproxima ou se distancia do local onde o mesmo foi escondido. Algumas vezes o líder usa recursos de linguagem, como *quente, fervendo, pegando fogo ou frio, muito frio, gelado* como desafio àquele que procura.

Procedimento

O facilitador explica ao cliente e aos demais (mãe, irmão, colegas) como é a brincadeira da qual irão participar (*Tá frio, tá quente*). Verifica quem a conhece. Mesmo que a brincadeira seja conhecida, explica rapidamente do que se trata. Mostra a todos o conjunto de objetos que estão ali para o uso. Informa que é preciso atenção, pois aquele que foi indicado para descobrir onde o objeto foi escondido terá de se afastar do local onde se encontra quando a dica é: *Tá frio*. Ao contrário, quando for dito

Tá quente é porque o objeto encontra-se nas imediações, então ele deve permanecer procurando nas proximidades.

Caso o terapeuta necessite de um modelo, uma criança com bom repertório pode ser escolhida. O terapeuta instrui para que o modelo receba, após localizar o objeto, consequências positivas, como palmas, elogios, comentários, perguntas sobre como localizou etc. Após o desempenho do modelo, o cliente é solicitado a participar. A dificuldade deve ser relacionada às possibilidades do mesmo. Lembrando que a dificuldade irá sendo graduada após os dois primeiros acertos.

Na terceira tentativa pode-se introduzir uma condição prévia. Algo como o participante precisar estimar o tempo que irá demorar a descobrir o objeto ou, após a resolução do problema, escolher alguém do grupo para fazer um elogio.

Observação

✓ Essa vivência pode ser realizada em grupos de crianças na escola. Em ambos os casos, tanto no atendimento em grupo como no individual, o terapeuta pode incluir como tarefas: (a) convidar um amigo para conversar ou brincar; (b) aceitar o convite de alguém para um jogo etc.

Variações

✓ Uma variação que exige dicas mais específicas além do *Tá frio, tá quente* é a de vendar os olhos do participante, de modo que ele terá de usar o tato e a audição, além de o líder dar dicas verbais mais detalhadas.

✓ Outra variação interessante é descobrir o objeto em dupla e alternar as dicas, ora para um, ora para o outro membro da dupla, de modo que eles precisem se comunicar entre si, discutir, avaliar e decidir.

Exemplos de exercícios de análise e prática
28. Optando pela empatia

Objetivos

Específicos

- ✓ Identificar diferentes demandas de habilidades conforme as situações
- ✓ Compreender o conceito de empatia
- ✓ Diferenciar habilidades empáticas de pró-empáticas
- ✓ Sugerir alternativas de habilidades empáticas

Complementares

- ✓ Fazer escolhas em grupo
- ✓ Apresentar *feedback*

Materiais

- ✓ Cartão com quadro-resumo das características que diferenciam os comportamentos genuinamente empáticos dos que são considerados pró-empáticos e não empáticos (cf. A. Del Prette & Del Prette, 2001, p. 89)
- ✓ Cartões ou tiras de papel (numeradas) com situações de demandas de empatia

---

1. Um(a) amigo(a) relata, com dificuldade, o término de um relacionamento afetivo. Você:
   - *Compreendo o quanto tem sido difícil toda essa situação...*
   - *Daqui a algum tempo você nem vai lembrar o quanto chorou pelo rompimento do namoro...*

2. Seu filho revela muito medo de tomar a vacina recomendada. Você:
   - *Dói um pouco no momento, mas depois você não terá sarampo... O pai (a mãe) está aqui com você...*
   - *Com a vacina você não terá sarampo. Vamos, deixe de manha, você é valente. Quem é corajoso não sente dor!...*

3. Seu cunhado passa em sua casa sábado de manhã convidando-o para ver o carro novo que ele comprou. Você:

– Legal! *Esse modelo é realmente muito bom, penso que você escolheu bem!...*

– Legal... *Esse modelo é bom. Porém, é o mais visado pelos ladrões...*

4. Não consegui obter aprovação para o vestibular... O ano todo dediquei o máximo do meu tempo estudando. Enquanto muitos amigos iam ao cinema, a baladas, a bares, eu dava duro... Não me conformo!

– *Olha, Alfredo, você ainda é tão jovem! Isso acontece. No ano que vem você presta de novo...*

– *Sei o quanto é difícil para você Alfredo. Mesmo não o encontrando frequentemente, tive informações, pelos seus pais, de sua dedicação aos estudos!*

5. Verinha! Preciso lhe contar esta, você nem vai acreditar! Sabe aquele cargo na empresa em que trabalho? Pois você está falando com a ATUAL ENCARREGADA DO NOVO SISTEMA!

– *Mas que coisa boa! Incrível minha amiga! Essa notícia me deixa muito feliz!*

– *Tá vendo só? E você andava desanimada! É como se diz: Deus tarda, mas não falha!*

6. Estou confusa! Quando encontro o Pedro fico feliz. Por outro lado, vendo o André meu coração dispara. Eu não posso gostar de dois homens tanto assim ao mesmo tempo. Acho que sou uma volúvel e isso me deixa angustiada...

– *Compreendo a sua situação, Helena. Penso que é possível gostar de duas pessoas, ainda mais Pedro e André sendo caras tão legais... Se você quiser podemos conversar com mais calma sobre isso...*

– *Na verdade, Helena, acho que você não gosta de nenhum. É o mesmo que aconteceu comigo... Lembra, foi no ano passado...*

7. Pessoal preciso contar algo que está acontecendo... Tenho medo de perder de vez a paciência com as gracinhas do Paulo... Se eu vou à reunião fico irritado, se não vou, vejo que não adianta nada. Outro dia...

– Natália: *Sei como você se sente, mas é preciso reagir. Não há motivo para sentir essa irritação. É preciso levar na esportiva. Isso revela falta de autoconfiança. Aconselho você a procurar um psicólogo.*

– Lúcia: *Olha, penso que é natural essa sua irritação, não é fácil algumas brincadeiras. Temos pessoas da nossa convivência que são mais difíceis de lidar. Mas achei uma boa ideia você falar sobre isso no grupo.*

Procedimento

O facilitador faz breve exposição sobre a importância da empatia nas relações interpessoais. Dá alguns exemplos e destaca os componentes básicos da empatia: (a) ouvir atentivamente o outro, evitando interrompê-lo; (b) colocar-se no lugar do outro, procurando compreender a situação que ele está vivendo; (c) manifestar essa compreensão de maneira discreta, porém ativa. Lembra que a empatia não é uma habilidade apenas humana, mas que também aparece em outros animais, inclusive na relação entre espécies. Esclarece que a empatia tem uma base genética que pode se consolidar, ou não, dependendo das condições do ambiente. Reafirma que a empatia pode ser aprendida, principalmente quando a pessoa está motivada.

Após essa breve exposição, o facilitador organiza grupos de três a cinco participantes (dependendo da quantidade de participantes). Entrega a cada grupo duas ou três fichas de situações. Pede que cada grupo escolha um coordenador para conduzir a análise do material e um relator para anotar os pontos da discussão.

Explica que cada grupo deve escolher a alternativa que entende como mais empática a cada situação, e dá um tempo (a depender do estágio do grupo) para a tarefa. Ao concluírem, pede que cada grupo, por meio de seu coordenador, leia a situação e as alternativas para todos os demais, adotando os padrões não verbais e paralinguísticos, no caso da alternativa empática. Pede que exponham qual o grupo considerou mais empática e que justifiquem a escolha. Pergunta aos outros participantes se concordam ou não e por quê. Aos demais, pode pedir, ainda, para avaliarem a adequação desses desempenhos.

Enquanto os participantes leem as alternativas, o facilitador deve valorizar as respostas de todos, destacar com *feedback* positivo as que são coerentes com o conceito de empatia e incentivar a reflexão com perguntas, aceitando posições contrárias, mas mantendo o conceito de empatia. Ao final, resume as respostas coerentes com o conceito de empatia, discutindo a diferença entre reações "pró-empáticas" e verdadeiramente empáticas.

Observações

✓ Importante lembrar que a empatia não depende somente da topografia da resposta e que, embora ela seja importante, mais ainda é a sua autenticidade em termos dos critérios de Competência Social, como, por exemplo: (a) expressão emocional coerente com o sentimento; (b) autocontrole e exercício da paciência de ouvir sem interromper o desabafo do interlocutor; (c) ajudar o outro a elaborar possíveis soluções por meio da escuta, do *feedback* e, eventualmente, de perguntas.

Variações

✓ O quadro de diferenciação entre respostas empáticas, pró-empáticas e não empáticas pode ser apresentado e discutido antes ou ao final da vivência.

29. Praticando respostas assertivas

Objetivos

Específicos

✓ Reconhecer situações que demandam enfrentamento assertivo

✓ Diferenciar respostas assertivas, passivas e agressivas

✓ Elaborar resposta assertiva para a situação

✓ Reconhecer diferentes alternativas assertivas para uma mesma situação

Complementares

✓ Prever resultados prováveis de respostas assertivas, passivas e agressivas para uma mesma situação

✓ Justificar a escolha por alternativas assertivas nas situações analisadas

✓ Desenvolver automonitoria

Materiais

✓ Texto sobre *Assertividade, agressividade e passividade* (cf. Z. Del Prette & Del Prette, 1999, p. 40-44 e A. Del Prette & Del Prette, 2001, p. 41-53)

✓ CARTÕES DA ATIVIDADE contendo o enunciado da situação--problema e a tarefa solicitada ao grupo, a seguir:

Elabore no espaço em branco uma alternativa socialmente mais competente (assertiva) para lidar com a situação. Desempenhe-a diante do grupo.

Grupo 1. Você tem sido abordada várias vezes por alguém que lhe quer vender assinaturas de revistas. Ele entra em contato com você de novo, com a mesma proposta. Você diz:	
Esta é a terceira vez que sou perturbada. *Eu já lhe disse* que realmente não vou comprar nenhuma assinatura. Eu lhe telefonarei se mudar de ideia.	

Grupo 2. Um colega lhe pede uma carona para casa. Isso lhe é inconveniente, pois você está atrasado, tem outras coisas para fazer e a mudança de itinerário, nesse momento, seria algo péssimo. Você (com expressão desanimada) diz:

É que... Tá legal. Vamos lá. Eu dou um jeito.	

Grupo 3. Você é a única mulher em um grupo de trabalho que sempre lhe pede para secretariar a reunião. Você diz:

Não! Eu estou cansada e saturada de secretariar. Vocês me empurram essa tarefa só porque sou a única mulher do grupo. Não vem com essa não!	

Grupo 4. Uma pessoa da biblioteca telefona e pede que você devolva um livro que nunca tomou emprestado. Você responde:

Do que você está falando? *Você deve controlar* melhor seu fichário! Eu nunca peguei esse livro e *não admito* que você venha com essa pra cima de mim.	

Grupo 5. Você está se dirigindo ao setor de fotocópias quando um colega que costuma lhe pedir ajuda, inclusive para "tirar xerox", pergunta-lhe para onde você está indo. Você responde:

Vou ao cinema (em tom irônico). Onde você acha que estou indo a estas horas?	

Grupo 6. Uma amiga chega muito feliz mostrando o novo vestido que comprou e está usando. Você avalia que a roupa não lhe caiu bem. Ela lhe diz: "Então, não é lindo?". Você...	
É... Tá bonito sim, que bom que você está contente!	

Procedimento

O facilitador avisa que essa vivência será realizada com todos e escreve no quadro os termos: PASSIVIDADE, AGRESSIVIDADE e ASSERTIVIDADE. Pergunta o significado de cada uma dessas palavras ou exemplos delas nas relações interpessoais. Em geral, os termos passividade e agressividade são facilmente exemplificados e, nesse caso, o facilitador se detém um pouco mais na assertividade, explicando suas características principais.

Em seguida o facilitador entrega o CARTÃO DA ATIVIDADE, explicitando o que se espera de cada grupo. Se a alternativa produzida pelo grupo não for considerada assertiva pelos demais, o facilitador pode pedir que apresentem sugestões para melhorá-la, mas destacando a necessidade de contemplar os critérios de Competência Social. Em estágio mais avançado, o facilitador pode e deve, também, orientar que a resposta assertiva seja precedida por alguma expressão de empatia.

Observação

✓ Essa vivência tem duas atividades. Dependendo do grupo e do tempo disponível, elas podem ser realizadas em sessões diferentes, porém, recomenda-se que sejam consecutivas.

✓ É importante que os grupos ouçam atentamente a apresentação de cada um dos demais grupos. A estratégia de pedir *feedback* acaba induzindo maior atenção dos demais.

✓ O fato de cada grupo receber diferentes situações para análise amplia o espectro de possibilidades de asserção a serem aprendidas por todos os participantes.

✓ Algumas respostas assertivas podem ser entendidas por alguns participantes (ou por todos) como agressivas. Nesse caso, o facilitador esclarece que o critério para diferenciar assertividade de agressividade deve ser a avaliação do grupo, da subcultura em que o indivíduo se insere, levando em conta as dimensões instrumental e ética da Competência Social e enfatizando (cf. capítulo 1): (a) a diversidade de alternativas que podem ser assertivas para a mesma situação (variabilidade comportamental); (b) a "asserção em escalada", ou seja, a necessidade de graduar a força do enfrentamento de acordo com a gravidade da demanda. Nesse caso, é importante dar exemplos adicionais.

✓ É importante esclarecer também que algumas vezes a classificação de um desempenho como assertivo ou agressivo pode depender da topografia (componentes não verbais e paralinguísticos). Por exemplo: ao dizer a alguém "Agora não posso atendê-lo", essa reação pode ser considerada agressiva se a pessoa falar mais alto que o necessário, franzir o cenho, olhar fixamente. Por outro lado, pode ser entendida como assertiva se a pessoa falar em tom de voz firme, olhando para o interlocutor, com expressão facial de que está encerrando o assunto.

Variações

✓ Apresentar tiras de papel com a situação, solicitando que cada grupo complete registrando a resposta assertiva. Posteriormente, solicitar aos grupos que leiam a resposta elaborada e pedir a outro grupo que avalie se a resposta pode ser considerada assertiva ou não.

✓ Pode-se também solicitar que os participantes analisem textos de romancistas consagrados que criaram histórias nas quais o personagem apresentava dificuldades de assertividade. Um exemplo é o conto *A palerma*, de Anton Tchekhov no livro *Um negócio fracassado e outros contos de humor*. São Paulo: L&PM Editores.

✓ Essa vivência pode ser prévia ou posterior à análise de filmes que retratam demandas para a assertividade, como *Amanhã nunca mais* e *O homem ao lado*, todos com trechos excelentes para análise não somente dos desempenhos assertivos, passivos e agressivos, mas das contingências associadas, especialmente as consequências desses desempenhos no cotidiano dos personagens.

REFERÊNCIAS

Abreu, S., Barletta, J. B., & Murta, S. G. (2015). Prevenção e promoção em Saúde Mental no curso da vida: indicadores para a ação. In: S. G. Murta, C. Leandro-França, K. Brito dos Santos, & L. Polejack (Orgs.). *Prevenção e promoção em Saúde Mental* (pp. 75-92). Novo Hamburgo: Sinopsys.

Amaral, M. N. C. P. (2004). Dilthey: conceito de vivência e os limites da compreensão nas ciências do espírito. *Trans/Form/Ação: Revista de Filosofia da Unesp*, 27(2), 51-73.

American Psychiatric Association (2000). *Diagnostic and statistical manual of mental disorders* (4th ed., rev.). Washington: Author.

Argyle, M. (1967/1994). *Psicologia del comportamiento interpersonal*. Madri: Alianza Universidad (Original de 1967).

Argyle, M. (1984). Some new developments in social skills training. *Bulletin of British Psychological Society*, 37, 405-410.

Azzi, R. G. (2011). Desengajamento moral na perspectiva da teoria social cognitiva. *Psicologia: ciência e profissão*, 31(2), 208-219.

Bandura, A. (1986). *Social foundations of thought and action: a social cognitive theory*. New Jersey: Prentice Hall Inc.

Bandura, A. (2008). O exercício da agência humana pela eficácia coletiva. In: A. Bandura, R. G. Azzi, & S. Polydoro (Orgs.). *Teoria Social Cognitiva: conceitos básicos* (pp. 114-122). Porto Alegre: Artmed.

Bolsoni-Silva, A. T., & Carrara, K. (2010). Habilidades Sociais e análise do comportamento: compatibilidades e dissensões conceitual-metodológicas. *Psicologia em revista*, 16(2), 330-350.

Bolsoni-Silva, A. T., Del Prette, Z. A. P., Del Prette, G., Montagner, A. R., Bandeira, M., & Del Prette, A. (2006). Habilidades Sociais no Brasil: uma análise dos estudos publicados em periódicos. In: Bandeira, M., Del Prette, Z. A. P., & Del Prette, A. (Orgs.). *Estudos sobre Habilidades Sociais e relacionamento interpessoal* (pp. 1-45). São Paulo: Casa do Psicólogo.

Borges, D. S. C., & Marturano, E. M. (2012). *Alfabetização em valores humanos: um método para o ensino de Habilidades Sociais*. São Paulo: Summus.

Brasil, Ministério da Saúde, Secretaria de Vigilância em Saúde (2010). *Política nacional de promoção de saúde* (3a ed.). Ed. Brasília: Ministério da Saúde.

Braz, A. C., & Del Prette, Z. A. P. (2011). Programa de Habilidades Sociais assertivas para idosos. In: A. Del Prette, & Z. A. P. Del Prette (Orgs.). *Habilidades Sociais: intervenções efetivas em grupo* (pp. 231-260). São Paulo: Casa do Psicólogo.

Caballo, V. E. (2003). *Manual de avaliação e treinamento das Habilidades Sociais*. São Paulo: Santos.

Carrara, K., Silva, A. T. B., & Verdu, A. C. M. A. (2006). Delineamentos culturais e práticas descritas por políticas públicas: análise conceitual e projetos de intervenção. In: H. H. Guilhardi, & N. C. de Aguirre (Orgs.). *Sobre comportamento e cognição: expondo a variabilidade* (pp. 354-366). Santo André: Esetec.

Carrara, K., Silva, A. T. B., & Verdu, A. C. M. A. (2009). Metacontingências, THS e estratégias de inclusão: dimensões e instrumentos compatíveis com o tema transversal da ética? In: R. C. Wielenska (Org.). *Sobre comportamento e cognição: desafios, soluções e questionamentos* (pp. 45-55). Santo André: Esetec.

Casagrande, A. P., Del Prette, A., & Del Prette, Z. A. P. (2013). *Brincando e aprendendo Habilidades Sociais*. Jundiaí: Paco Editorial.

Comodo, C. N. (2016). *Vítimas e autores de bullying: uma avaliação das Habilidades Sociais e de indicadores da Competência Social.* Tese de Doutorado. Programa de Pós-Graduação em Psicologia. Universidade Federal de São Carlos.

Comodo, C. N., Del Prette, A., Del Prette, Z. A. P., & Manolio, C. L. (in memoriam) (2011). O Passeio de Bia (vídeo): apresentação e validade interna e externa de um recurso para a promoção de Habilidades Sociais de pré-escolares. *Psicologia: teoria e prática,* 13(1), 34-47.

Curran, J. P., & Monti, P. M. (1982). *Social skills training a practical handbook for assessment and treatment.* New York: The Guilford Press.

Del Prette, A., & Del Prette, Z. A. P. (2001). *Psicologia das relações interpessoais e Habilidades Sociais: vivências para o trabalho em grupo.* Petrópolis: Vozes.

Del Prette, A. (2012). Atendimento a uma criança que relatava ver o espírito da avó: um estudo de caso. *Estudos de Psicologia,* Campinas, 29(2), 285-292.

Del Prette, A., & Del Prette, Z. A. P. (2003a). Treinamento assertivo: ontem e hoje. In: C. E. Costa, J. C. Luzia, & H. H. N. Sant' Anna (Orgs.). *Primeiros passos em análise do comportamento e cognição* (pp. 149-160). Santo André: Esetec.

Del Prette, A., & Del Prette, Z. A. P. (2003b). No contexto da travessia para o ambiente de trabalho: treinamento de Habilidades Sociais com universitários. *Estudos de Psicologia,* 8(3), 413-420.

Del Prette, A., & Del Prette, Z. A. P. (2005a). A importância das tarefas de casa como procedimento para a generalização e validação do treinamento de Habilidades Sociais. In: J. H. Guilhardi, & N. C. Aguirre (Orgs.). *Primeiros passos em análise do comportamento e cognição* (pp. 67-74). Santo André: Esetec.

Del Prette, A., & Del Prette, Z. A. P. (2005b). *Já pensou se todo mundo torcesse pelo mesmo time?* São Paulo: Casa do Psicólogo.

Del Prette, A., & Del Prette, Z. A. P. (2009). Componentes não verbais e paralinguísticos das Habilidades Sociais. In: A. Del Prette, & Z. A. P. Del Prette (Orgs.). *Psicologia das Habilidades Sociais: diversidade teórica e suas implicações* (pp. 147-186). Petrópolis: Vozes.

Del Prette, A., & Del Prette, Z. A. P. (Orgs.). (2011). *Habilidades Sociais: intervenções efetivas em grupo*. São Paulo: Casa do Psicólogo.

Del Prette, A., Del Prette, Z. A. P., & Barreto, M. C. M. (1999). Habilidades sociales en la formación del psicólogo: análisis de un programa de intervención. *Psicologia Conductual* (Espanha), 7(1), 27-47.

Del Prette, Z. A. P., & Del Prette, A. (1996). Habilidades Sociais: uma área em desenvolvimento. *Psicologia Reflexão e Crítica*, 9(2), 233-255.

Del Prette, Z. A. P., & Del Prette, A. (1999). *Psicologia das Habilidades Sociais: terapia, educação e trabalho*. Petrópolis: Vozes.

Del Prette, Z. A. P., & Del Prette, A. (2005a). *Psicologia das Habilidades Sociais na Infância: teoria e prática*. Petrópolis: Vozes.

Del Prette, Z. A. P., & Del Prette, A. (2005b). *Sistema Multimídia de Habilidades Sociais para Crianças (SMHSC-Del-Prette): manual e complementos*. São Paulo: Casa do Psicólogo.

Del Prette, Z. A. P., & Del Prette, A. (2008). Um sistema de categorias de Habilidades Sociais educativas. *Paideia: cadernos de psicologia e educação*, 18(41), 517-530.

Del Prette, Z. A. P., & Del Prette, A. (2009). Avaliação de Habilidades Sociais: bases conceituais, instrumentos e procedimentos. In: A. Del Prette, & Z. A. P. Del Prette (Orgs.). *Psicologia das Habilidades Sociais: diversidade teórica e suas implicações* (pp. 187-229). Petrópolis: Vozes.

Del Prette, Z. A. P., & Del Prette, A. (2010). Habilidades Sociais e análise do comportamento: proximidade histórica e atualidades. *Perspectivas em análise do comportamento*, 1(2), 104-115.

Del Prette, Z. A. P., & Del Prette, A. (2016). O movimento das Habilidades Sociais no Brasil: dados e reflexões. In: O. M. Rodrigues Jr. (Org.). *Histórias das psicologias comportamentais no Brasil* (pp. 127-144). Instituto Paulista de Sexualidade: São Paulo.

Del Prette, Z. A. P., Del Prette, A., Gresham, F. M., & Vance, M. J. (2012). Role of social performance in predicting learning problems: prediction of risk using logistic regression analysis. *School Psychology International Journal*, 2, 615-630.

Del Prette, Z. A. P., Domeniconi, C., Amaro, L., Laurenti, A., Benitez, P., & Del Prette, A. (2012). Tolerância e respeito às diferenças: efeitos de uma atividade educativa à escola. *Psicologia: teoria e prática*, 14(1), 168-182.

Del Prette, Z. A. P., Rocha, M. M., & Del Prette, A. (2011). Programas de Habilidades Sociais na infância: Modelo triádico de intervenção com pais. In: Petersen, C., & Wainer, P. *Terapia Cognitivo-Comportamental para crianças e adolescentes: ciência e arte* (pp. 14-40). Porto Alegre: Artmed.

Del Prette, Z. A. P.; Falcone, E. M. O., & Murta, S. G. (2013). Contribuições do campo das Habilidades Sociais para a compreensão, prevenção e tratamento dos transtornos de personalidade. In: L. F. Carvalho, & R. Primi (Orgs.). *Perspectivas em psicologia dos transtornos da personalidade: implicações teóricas e práticas* (pp. 326-358). São Paulo: Casa do Psicólogo.

Dias, T. P., & Del Prette, Z. A. P. (2015). Promoção de automonitoria em crianças pré-escolares: impacto sobre o repertório social. *Acta Comportamentalia*, 23, 273-287.

Dias, T. P., Casali, I. G., Del Prette, A., & Del Prette, Z. A. P. (n.d.) Automonitoria no campo das Habilidades Sociais e seus indicadores comportamentais. Submetido para publicação, disponível com os autores.

Dittrich, A. (2010). Análise de consequências como procedimento para decisões éticas. *Perspectivas em análise do comportamento*, 1(1), 44-54.

Dittrich, A., & Abib. J. A. D. (2004). O sistema ético skinneriano consequências para a prática dos analistas do comportamento. *Psicologia: reflexão e crítica*, 17(3), 427-443.

Dowd, T., & Tierney, J. (2005). *Teaching social skills to youth: a step-by-step guide to 182 basic to complex skills plus helpful teaching techniques.* Crawford: Boys Town Press.

Elliott, S. M., & Gresham, F. M. (2007). *Classwide intervention program teacher's guide.* Minneapolis: NCS Pearson.

Freitas, L. C. (2013). Uma revisão sistemática de estudos experimentais no campo do Treinamento de Habilidades Sociais. *Revista Brasileira de Terapia Comportamental e Cognitiva*, 15, 75-88.

Fumo, V. M. S., Manolio, C. L., Bello, S., & Hayashi, M. C. P. I. (2009). Produção científica em Habilidades Sociais: estudo bibliométrico. *Revista Brasileira de Terapia Comportamental e Cognitiva*, 11(2), 246-266.

Glenn, S. (2005). Metacontingências em Walden Dois. In: J. C. Todorov, R. C. Martone, & M. G. Borges (2005). *Metacontingências, comportamento, cultura e sociedade* (pp. 13-28). Santo André: Esetec Editores Associados.

Glenn, S. S. (2004). Individual change, culture and social change. *Behavior Analyst*, 27, 133-151.

Goldstein, A. P., Sprafkin, R. P., Gershaw, N. J., & Klein, P. (1980). *Skillstreaming the adolescent: a structured approach to teaching prosocial skills.* Illinois: Research Press Company.

Greene, J. O., & Burleson, B. R. (Eds.) (2003). *Handbook of communication and social interaction skill.* New Jersey: Lawrence Earlbaum Associates Publishers.

Gresham, F. M. (2009). Análise do comportamento aplicada às Habilidades Sociais. In: A. Del Prette, & Z. A. P. Del Prette (Orgs.). *Psicologia das Habilidades Sociais: diversidade teórica e suas implicações* (pp. 17-66). Petrópolis: Vozes.

Hagar, K., Goldstein, S. & Brooks, R. (2006). *Seven steps to improve your child's social skills: teaching social skills for children ages 5-14*. Flórida: Specialty Press.

Hargie, O., Saunders, C., & Dickson, D. (1994). *Social skills in interpersonal communication* (3th ed.). London: New York: Routledge.

Hunziker, M. L., & Moreno, R. (2000). Análise da noção de variabilidade Comportamental. *Psicologia: teoria e pesquisa,* 16(2), 135-145.

Kelly, J. A. (2002). *Entrenamiento de las habilidades sociales* (8a ed). Bilbao: Desclée de Brouwer.

Kestenberg, C. C., & Falcone, E. M. O. (2011). Programa de promoção de empatia para graduandos de enfermagem. In: *Psicologia das Habilidades Sociais: diversidade teórica e suas implicações* (pp. 115-144). Petrópolis: Vozes.

Linehan, M. M. (1984). Interpersonal effectiveness in assertive situations. In: E. E. Bleechman (Ed.). *Behavior modification with women*. New York: Guilford Press.

Lopes, D. C. (2013). *Programa universal de Habilidades Sociais aplicado pelo professor: impacto sobre comportamentos sociais e acadêmicos*. Programa de Pós-Graduação em Psicologia, Universidade Federal de São Carlos.

Lopes, D. C., & Del Prette, Z. A. P. (2011). Programa Multimídia de Habilidades Sociais para Crianças (PMHSC). In: A. Del Prette, & Z. A. P. Del Prette (Orgs.). *Habilidades Sociais: intervenções efetivas em grupo* (pp. 145-174). São Paulo: Casa do Psicólogo.

Lopes, D. C., Del Prette, Z. A. P., & Del Prette, A. (2013). Recursos multimídia no ensino de Habilidades Sociais a crianças de baixo rendimento acadêmico. *Psicologia: reflexão e crítica,* 26(3), 451-458.

McFall, R. M. (1982). A review and reformulation of the concept of social skills. *Behavioral Assessment,* 4, 1-33.

Mischel, W. (1958). Preference for delayed reinforcement: an experimental study of a cultural observation. *The Journal of Abnormal and Social Psychology*, 56, 57-61.

Mitsi, C. A., Silveira, J. M., & Costa, C. E. (2004). Treinamento de Habilidades Sociais no tratamento do transtorno obsessivo compulsivo: um levantamento bibliográfico. *Revista Brasileira de Terapia Comportamental e Cognitiva*, 6(1), 49-59.

Monti, P. M., Kadden, R. M., Rohsenow, D. J., Cooney, N. L., & Abrams, D. B. (2005). *Tratando a dependência de álcool: um guia para o treinamento de habilidades de enfrentamento* (2a ed.). São Paulo: Roca.

Murta, S. G. (2005). Aplicações do treinamento em Habilidades Sociais: análise da produção nacional. *Psicologia: reflexão e crítica*, 18(2), 283-291.

O'Donohue, W., & Krasner, L. (1995).Psychological skills training. In: W. O'Donohue, & L. Krasner (Eds.). *Handbook of psychological skills training clinical techniques and applications* (pp. 1-19). New York: Allyn and Bacon.

Olaz, F. O., Medrano, L. A., & Cabanillas, G. A. (2011). Programa vivencial *versus* programa instrucional de Habilidades Sociais: impacto sobre a autoeficácia de universitários. In: A. Del Prette, & Z. A. P. Del Prette (Orgs.). *Habilidades Sociais: intervenções efetivas em grupo* (pp. 175-202). São Paulo: Casa do Psicólogo.

Pereira, C. de S. (2010). *Habilidades Sociais para o trabalho: efeitos de um programa para jovens com deficiência física*. Programa de Pós-Graduação em Educação Especial, Universidade Federal de São Carlos.

Pereira-Guizzo, C. S., & Del Prette, A. (2011). Programa de Habilidades Sociais profissionais para pessoas com deficiência física desempregadas. In: A. Del Prette, & Z. A. P. Del Prette (Orgs.). *Habilidades Sociais: intervenções efetivas em grupo* (pp. 203-230). São Paulo: Casa do Psicólogo.

Polydoro, S., & Azzi, R. G. (2008). Autorregulação: aspectos introdutórios. In: A. Bandura, R. G. Azzi, & S. Polydoro (Orgs.). *Teoria Social Cognitiva: conceitos básicos* (pp. 149-164). Porto Alegre: Artmed.

Rachlin, H. (1974). Self-control. *Behaviorism*, 2, 94-107.

Rangel, P. C. N. (2010). *Variabilidade comportamental: uma comparação entre pessoas jovens e idosas.* Tese de Doutorado. Instituto de Psicologia, Universidade de Brasília. Brasília (DF).

Ríos-Sandaña, M. R., Del Prette, A., & Del Prette, Z. A. P. (2002). A importância da Teoria da Aprendizagem Social na constituição da área do Treinamento das Habilidades Sociais. In: H. J. Guilhardi, M. B. B. Madi, P. P. Queiroz, & M. C. Scoz (Orgs.). *Sobre comportamento e cognição: contribuições para a construção da teoria do comportamento* (pp. 269-283). Santo André: Esetec.

Rocha, M. M. (2009). *Programa de Habilidades Sociais educativas com pais: efeitos sobre o desempenho social e acadêmico de filhos com TDAH.* Programa de Pós-Graduação em Educação Especial, Universidade Federal de São Carlos.

Rocha, M. M., & Del Prette, Z. A. P. (2011). Programa de Habilidades Sociais educativas com mães de crianças com deficit de atenção e hiperatividade. In: A. Del Prette, & Z. A. P. Del Prette (Orgs.). *Habilidades Sociais: intervenções efetivas em grupo* (pp. 261-288). São Paulo: Casa do Psicólogo.

Rocha, V. V. S., Oliveira, M. C. F. A., & Gonçalves, F. F. G. (2016). O uso de filmes como estratégia terapêutica na prática clínica. *Revista Brasileira de Terapia Comportamental e Cognitiva*, 18(1), 22-30.

Schlundt, D. G., & McFall, R. M. (1985). New directions in the assessment of social competence and social skills. In: L. L' Abate, & M. A. Milan (Eds.). *Handbook of social skills training and research.* New York: Wiley.

Skinner, B. F. (1972). *Tecnologia do Ensino* (R. Azzi, Trad.). São Paulo: Herder/EDUSP (Trabalho original publicado em 1968).

Skinner, B. F. (1981/2007). Seleção por consequências. Recuperado de http://revistas.redepsi.com.br/index.php/RBTCC/article/view/150/133 em 10 de abril de 2010.

Skinner, B. F. (1974). *Sobre o behaviorismo*. São Paulo: Editora Cultrix.

Skinner, B. F. (1978). *Comportamento verbal*. São Paulo: Cultrix/Edusp. Originalmente publicado em 1957.

Skinner, B. F. (1953/1967). *Ciência e comportamento humano*. Brasília: Editora da Universidade de Brasília (J. C. R Todorov e R. Azzi, original de 1953).

Teixeira, C. M., Del Prette, A., & Del Prette, Z. A. P. (2016). Assertividade: uma análise da produção nacional. *Revista brasileira de terapia comportamental e cognitiva*, 18(2), 56-72.

Trower, P. (1995). Adult social skills: state of the art and future directions. In: W. O'Donohue, & L. Krasner (Eds.). *Handbook of psychological skills training clinical techniques and applications* (pp. 54-80). New York: Allyn and Bacon.

Vila, E. M., & Del Prette, A. (2009). Relato de um programa de treinamento de Habilidades Sociais com professores de crianças com dificuldades de aprendizagem. In: S. R. de Souza, & V. B. Haydu (Orgs.). *Psicologia comportamental aplicada: avaliação e intervenção nas áreas do esporte, clínica, saúde e educação* (pp. 113-135). Londrina: Eduel.

Conecte-se conosco:

facebook.com/editoravozes

@editoravozes

@editora_vozes

youtube.com/editoravozes

+55 24 2233-9033

www.vozes.com.br

Conheça nossas lojas:

www.livrariavozes.com.br

Belo Horizonte – Brasília – Campinas – Cuiabá – Curitiba
Fortaleza – Juiz de Fora – Petrópolis – Recife – São Paulo

EDITORA VOZES LTDA.
Rua Frei Luís, 100 – Centro – Cep 25689-900 – Petrópolis, RJ
Tel.: (24) 2233-9000 – E-mail: vendas@vozes.com.br